LA CITÉ INTERDITE
est le quatre cent vingt-huitième ouvrage
publié chez
VLB ÉDITEUR.

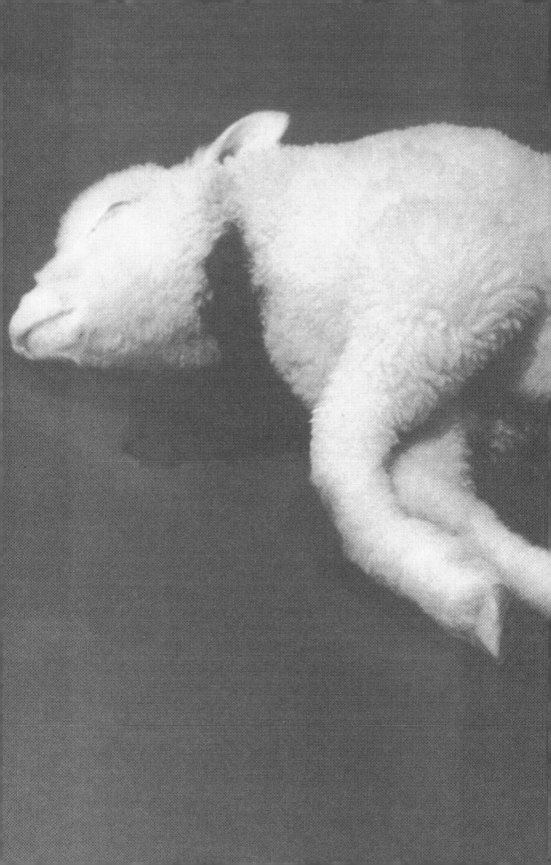

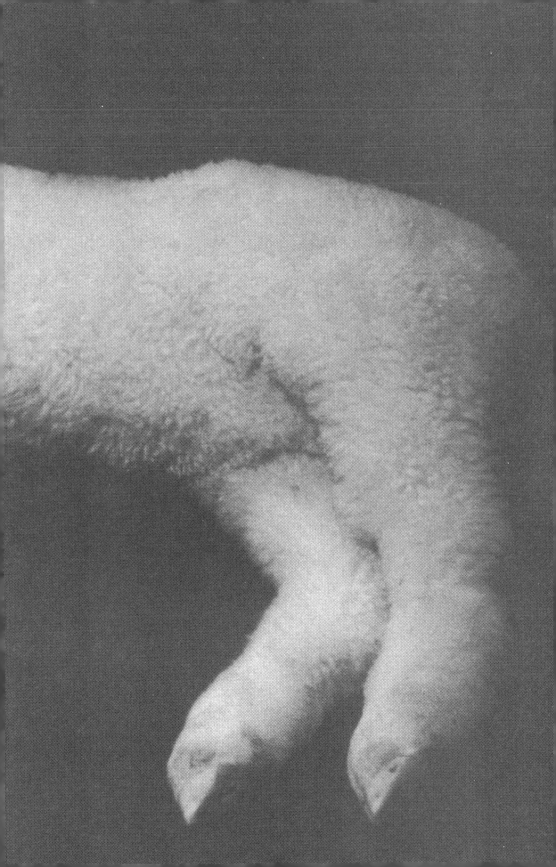

Dominic Champagne

La cité interdite

théâtre

vlb éditeur

VLB ÉDITEUR
Une division du groupe
Ville-Marie Littérature
1000, rue Amherst, bureau 102
Montréal (Québec)
H2L 3K5
Tél.: (514) 523-1182
Télécopieur: (514) 282-7530

Maquette de la couverture:
Nancy Desrosiers

Photos intérieures et de la couverture:
Robert Laliberté

Distribution:
AGENCE DE DISTRIBUTION POPULAIRE
955, rue Amherst
Montréal (Québec)
H2L 3K4
Tél.: à Montréal: 523-1182
      de l'extérieur: 1-800-361-4806

Dépôt légal: 1er trimestre 1992
Bibliothèque nationale du Québec
ISBN 2-89005-491-8

LA CITÉ INTERDITE
de
Dominic Champagne
a été créée le 19 avril 1991
par le Théâtre *il va sans dire*
à la Salle Fred-Barry de la Nouvelle Compagnie Théâtrale

dans une mise en scène de l'auteur

avec

André Barnard — le Procureur
Denis Bouchard — François
Julie Castonguay — Marie
Richard Fréchette — Pierre
Norman Helms — Hubert
et pour la première fois sur scène
Anaïs Goulet-Robitaille — Marie-Pierre

dans une scénographie de Monsieur Jean Bard
des costumes de François Saint-Aubin
des musiques originales de Christian Thomas
des éclairages de Stéphane Mongeau
des maquillages et des coiffures de Pierre Lafontaine
et Guy Côté dit Gus à l'assistance à la mise en scène et à la régie.

L'auteur a bénéficié d'une bourse du Conseil des Arts du Canada
pour écrire cette pièce.

POUR LA MISE EN SCÈNE

Nous sommes dans un lieu unique, symboliquement celui de la Cité.

Côté cour, traversant la scène de l'avant jusqu'à l'arrière, une rangée oblique de hautes colonnes massives, immenses, démesurées, monumentales, défonçant le plafond. Sur les colonnes, des tuyaux et divers conduits de gaz.

Côté jardin, parallèle à ce monument, une massive table en bois au centre de laquelle est déposé un mouton, étendu de tout son long sur le flanc, égorgé, gisant dans son sang. Près du mouton, un téléphone, une machine à écrire, de la paperasse. Autour de la table, quelques chaises et fauteuils de bois verni.

Au centre de la scène, une chaise.

À la deuxième partie, la table, ramenée au centre de la scène, toute sa longueur faisant face au public, est recouverte d'une nappe blanche, et de trois couverts, salière, poivrière, bouteille de vin, téléphone sans fil, etc., d'une sobriété toute luxueuse. Autour de la table, trois chaises, une à chaque extrémité, l'autre au centre, face public.

C'est ainsi qu'à la création, Monsieur Bard, le scénographe, nous proposait le lieu. Nous rendons aujourd'hui hommage à tous ses talents.

Pour la trame sonore, à la première partie, toute musique fondue dans ce que nous avons convenu d'appeler l'Écho primitif, manière de rituel ténébreux aux percussions sourdes et graves, allant et venant. Quelque chose de religieux. Quelque chose d'archaïque, atmosphère de la nuit des temps, quelque chose de nègre, des chants africains au gospel américain en passant par le spiritual, et jusqu'à violence rock.

À la deuxième partie, à part une planante mélopée doucereuse dite Écho du temps nouveau, au début et à la fin, rien d'autre que le silence.

Pour les costumes, les coiffures et les maquillages, ainsi que les éclairages, que l'on s'attarde davantage à marquer le passage du temps entre deux époques, deux mondes, deux modes de vie, qu'à illustrer anecdotiquement chacune des deux époques, tout étant plutôt sombre et jeux d'ombres dans la première partie, et plutôt brillance, couleurs et jeux de lumières dans la deuxième partie.

En général, que l'on évite toute reconstitution résolument historique ou documentaire, privilégiant l'intimité des situations et l'urgence des émotions à l'expression purement épique.

Ce texte constitue la version mise en scène lors de sa création. Il demeure toutefois possible de représenter la pièce en utilisant la deuxième partie comme point de départ et en y intercalant les scènes de la première partie, par effet de « retours en arrière », suivant le regard intérieur de François.

☐

À sa manière, ce texte est une œuvre de mémoire. Cependant, si nous avons abondamment puisé dans la réalité historique de ce que l'on a appelé la Crise d'Octobre 70 et parfois même pillé l'intimité de ceux qui ont témoigné de ces événements, les personnages et les faits de cette pièce demeurent fictifs, notre intention n'étant pas tant de donner dans l'épopée historique que de plonger au cœur du rêve et de la révolte... avant qu'elle ne soit matée.

Cela étant dit, nous tenons à remercier ceux et celles qui ont accepté de nous rencontrer, lors de l'atelier du Théâtre d'Aujourd'hui, et de nous raconter la lumière et les ombres de cet automne-là, plus particulièrement les ex-militants et ex-militantes du FLQ, grâce à la généreuse collaboration de Linda Gaboriau.

pour mon fils Hubert
qui aura vingt ans en l'an 2010...

Préface

Lettre ouverte de l'auteur
aux autres artisans de l'œuvre
12 janvier 1991

J'achève la dernière version de *La cité interdite* avant le début des répétitions et, essoufflé après tant d'errance et de doutes, je me demande pourquoi j'écris. Comme métier, il y en a de plus faciles, de moins douloureux, et encore, souvent je suis à penser que ça n'est sûrement pas ce que je fais de mieux. Mais bon.

Pour paraphraser Vaclav Havel, j'avouerai que je ne suis pas un auteur très imaginatif. J'ai ce qu'on pourrait appeler le souffle court et l'errance facile. D'une intuition, d'un désir, d'une étincelle – de ce que Sam Sheppard nomme cette lumière derrière la porte à peine entrouverte –, je me fabrique un rêve énorme en forme de défi insurmontable, puis je m'y lance tête première, et m'y mouillant les yeux, me tannant les fesses sur ma chaise de travail, chaque jour des mois durant, me levant le matin pour aussitôt m'attabler (maintenant que je suis père de ces deux enfants-lumières, à l'heure à laquelle j'avais pris l'habitude de laisser mes écritures pour aller me coucher), et me laissant emporter par cette spirale avalante des mots, je fonce, je pioche, je crèche, et un beau soir, ou au bout d'une nuit profonde, voilà que je ne sais plus où j'en suis, ne me souvenant même plus d'où je suis parti, ni la source de mon intuition, ni le rêve que je m'étais forgé, ni la couleur de l'étincelle, ni même si la lumière ne fut jamais quelque part en mon esprit! Non, je ne suis pas de cette catégorie heureuse d'auteurs qui ont la plume vive et qui écrivent droit au but, comme on tartine tranquillement et sûrement sa beurrée, raison pour laquelle je me considère bien souvent plutôt artisan qu'artiste, plutôt semblable au cordonnier patient et besogneux qu'au virtuose violoniste ou à Victor Hugo!

En fait, les pièces que je voudrais écrire dans cet insatiable besoin de parler, bien souvent d'autres les ont écrites avant moi, et les histoires ou les états d'âmes que je voudrais raconter, farces grotesques ou intimes odyssées de mes errances, d'autres encore les ont vécues, comme c'est le cas ces temps-ci avec cette crise d'Octobre dont le Front de libération n'était pas le Messie. Mais pourtant, maître ou non de mon inspiration, j'écris tout de même. Pourquoi donc, cet insatiable besoin de parler? Encore, si j'écrivais du roman, je me consolerais en me disant que le lecteur aura tout le loisir de fermer mon livre pour ne plus jamais l'ouvrir si mon récit l'ennuie, mais non, mon métier, c'est de me torturer le maigre génie pour faire en sorte que mon ami public se sente captivé et non capturé. Mais pourquoi j'écris?

Pour témoigner, sûrement. Ici, avec cette pièce, je me plais à penser que je fais œuvre de mémoire. Je me suis passionné pour ce moment mystérieux et confus de notre histoire qu'on a appelé la crise d'Octobre — et que les intellectuels et les artistes d'ici ont collaboré à faire oublier, sinon en dénonçant parfois et par trop timidement l'évidence des abus de pouvoir ou l'oppression des innocences, mais sans interroger sincèrement les grandeurs et les misères des héros tragiques d'un peuple dont la jeunesse se révélait prête à tuer au nom de son rêve de justice. Je me suis passionné pour tout ce qui, dans la crise d'Octobre, exprimait le sublime et le grotesque du rêve révolutionnaire, quel qu'il soit, de Jésus ou Spartacus à Lénine ou Che Guevara, tout ce qui, dans le choc entre la quichotesque utopie et la démanche des illusions révélait le fossé qui me sépare du temps où l'on croyait que tout était possible, que le bon peuple un jour serait le dieu, alors qu'aujourd'hui je suis le témoin d'une époque où Dieu, quel qu'il soit, est mort, et où tout le monde s'en fout.

Et tout cela qui m'apparaissait quasi mythique ou à tout le moins profondément révélateur de ce que nous sommes, apprenti peuple, dans le désir et dans la peur d'exister, et de tout ce qui se déchirait en moi, petit-fils de juge et petit-fils de soudeur, je suis allé voir si j'y étais. Témoigner, oui, de ma nostalgie d'une ère au rêve grand comme un pays, en ces temps où les egos gros comme des villages globaux se sont mêlés de tout bouffer, le pays, le bon dieu et l'âme comme disait l'autre.

Je m'étais juré de m'étancher cette soif-là, celle d'aller voir dans ces eaux de l'accouchement violent de mon pays si j'y trouverais des héros, après une première tentative ratée il y a quelques années, et comme je prétends être homme de parole, j'ai plongé, tête baissée. Pour témoigner oui, sûrement. Mais est-ce suffisant ?

Camus disait que c'est un honneur que d'écrire. Beckett qu'il n'était bon qu'à ça. Victor-Lévy Beaulieu que c'est par rage qu'on devient écrivain. Moi, je dirais, par désœuvrement. Peut-être naïvement est-ce que je m'imagine que c'est ma manière à moi d'être fidèle au grand rêve de mes dix-neuf ans de réinventer le monde, et de ne pas rabaisser ce rêve-là. Peut-être est-ce que je m'imagine que c'est mon dernier retranchement pour demeurer fidèle à ma révolte et à mon envie que ça soit beau quelque part de temps en temps, pleinement, librement. Fidèle, c'est un bien grand mot, je sais. Je l'écris quand même. L'écriture est mon défi le plus exigeant, quand ça se révèle autre chose que signes dans le sable à la merci de la première marée.

Ça m'est comme un dernier refuge que d'écrire. Alors j'écris. Souvent dans le doute, avec force ratures, en coupant presque autant que je ponds. Je ne suis ni un penseur, ni un philosophe, et il m'arrive même parfois, qu'entouré de beaux esprits, je me mette à péter plus haut que le trou d'inculture dans lequel je prélasse mon ordinaire paresse intellectuelle. Et pourtant je prétends, depuis que j'ai quinze ou seize ans, que mon verbe se fasse chair, que mes mots deviennent personnages, et que le théâtre, ce trou à illuminer, ce vide à remplir, devienne vie à partir de rien.

Au fond, c'est peut-être de cela qu'il s'agit (mais me faut-il une raison à tout prix ?): que le théâtre soit. Que la rencontre ait un lieu. Et que le monde se réinvente librement. Comme si je me faisais un devoir que nous renaissions les uns aux autres par le miracle du spectacle. Comme si je me faisais un devoir de me contraindre, et avec moi toute la compagnie théâtrale, à réinventer ce monde. Comme si le théâtre était, pour moi, le dernier lieu où, loin des exigences rentables de l'excellence et de l'efficacité, loin des calculs, des dogmes et des lignes de partis, il nous était encore possible d'être libres. Comme si je voulais me contraindre, profondément, à cette liberté.

Alors j'écris. Pour connaître le prix de ma liberté peut-être. Reconnaître, à chaque journée d'écritures, à chaque journée passée à chercher avec les comédiens, tout ce qui doit s'y sacrifier, en bonheur amoureux, en amitiés à nourrir, en argent à gagner, tout ce qu'il m'en coûte afin que l'œuvre en chantier se taille et arrive au monde. Cette liberté me mesurant à l'innommable et imposante immensité d'un monde à inventer. Car il me faut bien avouer encore que ça m'est assez difficile d'écrire, et qu'au bout de la dixième version, il y en aura encore une onzième pour me défier le désir d'accomplissement, à moins qu'une autre œuvre ne vienne tout simplement m'avaler, me délivrant de celle-ci pour m'emporter dans la spirale de celle-là et à nouveau m'empêtrer dans cette indigence où mon grand rêve m'a fourré, si je veux qu'en toute intégrité, en toute bonne foi, en toute liberté, le théâtre soit.

Oui, au fond, c'est bien de cela qu'il s'agit. Le désir du spectacle. Alors, vous, amis qui allez me lire aujourd'hui et qui serez demain les artisans de ma petite œuvre, je vous invite à relever avec moi l'immense défi de la création. C'est ce que je sais faire de mieux, peut-être, vous y inviter.

Et faites que je puisse, grâce à vous, grâce à votre talent et à votre générosité, croire qu'en me faisant l'auteur de cette petite œuvre, je n'ai pas été trop ambitieux. Que mon rêve d'un spectacle libre et beau deviendra possible, envers et contre tout. Et que j'aurai assez de confiance, mais aussi de doutes, pour continuer d'écrire sans trop savoir pourquoi...

PREMIER TEMPS

Le sacrifice...

Faisons tournoyer sur nos têtes
nos lames rouges et crions:
Paix et liberté!

SHAKESPEARE,
Jules César

Prologue

Sourds martellements dans l'Écho primitif.
Hubert au centre de la scène, menottes aux poings.
Pierre et François derrière lui, chacun de son côté, larronnant.

PIERRE

Ah! Le christ...

FRANÇOIS

Dis pas ça, Pierre...

PIERRE

Le christ d'innocent...

FRANÇOIS

Dis pas ça, Pierre, c'est notre frère, calvaire...

PIERRE

Ben pour moi ça l'est pus à partir d'aujourd'hui.

FRANÇOIS

Y fait ça pour ben faire, lui.

PIERRE

Y nous chie dins mains, c'est ça qu'y fait.

FRANÇOIS

Y nous chie pas dins mains, y fait ça pour nous sauver!

PIERRE

Y'en a un autre de même qui a fait pareil, y'a deux mille ans, pis on voit où ça nous a menés. Y peut ben aller se faire crucifier à notre place si ça y chante, y nous empêchera pas de faire ce qu'on a à faire...

FRANÇOIS

Oui oui, mais y'a dit qu'y prenait toute sur lui, toute ce qu'on a fait, depuis le début...

PIERRE

Écoute, mon petit François. Y'a des milliers de personnes qui nous appuient dehors pis qui attendent juste qu'on passe aux actes, pis notre devoir, c'est de pas les décevoir. On le laissera pas faire croire au monde que c'est avec des prières qu'on va s'en sortir.

FRANÇOIS

Oui oui, mais...

PIERRE

Si y pense qu'y va nous arrêter parce qu'y se prend pour Gandhi ou le pape de Saint-Benoît-du-Lac, y se fourre un doigt dans l'œil parce qu'y nous arrêtera pas.

FRANÇOIS

Faut qu'on le sorte de d'là.

PIERRE

Qu'y se sorte de d'là tout seul si y'est si fin que ça.

FRANÇOIS

Faut qu'on le sorte de d'là, Pierre, pis vite. Parce que quand que les chiens vont apprendre qu'on a fait le coup, après c'est lui qui va passer au cash à notre place.

PIERRE

Y'aura couru après. C'est tout ce qu'y demande, de jouer aux martyrs.

FRANÇOIS

Dis pas ça, tu peux pas dire ça.

PIERRE

Maudit christ d'innocent !

FRANÇOIS

Tu sais pas ce que c'est, toi, de te retrouver en dedans dins mains d'une gang de sauvages blindés jusqu'aux dents qui jouent 'ec tes nerfs comme si t'étais un rat de laboratoire...

PIERRE

Arrête de le prendre en pitié, c'est tout ce qu'y cherche, qu'on le prenne en pitié.

FRANÇOIS

Je le prends pas en pitié.

PIERRE

C'est tout ce qu'y espère, pour nous empêcher de faire ce qu'on a à faire. On a dit qu'on irait jusqu'au bout, pis on va y aller comme si y'avait jamais existé, veux-tu ?

FRANÇOIS

Faut qu'on le sorte de d'là, avant minuit : c'est un prisonnier poli-tique comme toués autres. Si on s'entend pas là-dessus, j'arrête toute ça là, c'est-tu clair ?

PIERRE

Bon, O.K., O.K... Avant minuit, tu vas être avec, ton grand ser-pent de frère...

Ils sortent.

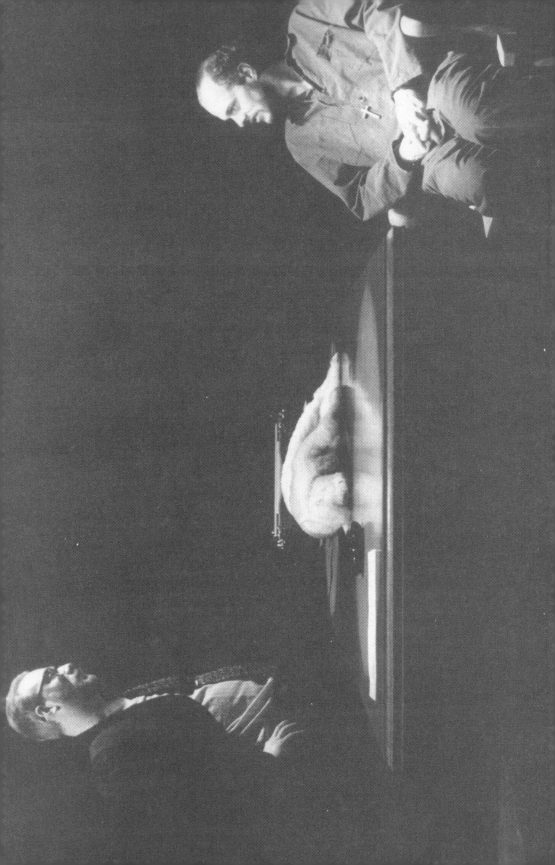

Première scène

Martellements dans l'Écho primitif.
Le Procureur entre, une liasse de papiers en main.

PROCUREUR

Hubert Godbout, vous êtes accusé d'avoir, à Montréal, illégalement et sans droit, visé à un changement de l'ordre, en préconisant l'usage de la violence, sans autorité des lois. D'après la déposition que vous avez signée suite à votre arrestation, vous avez admis être l'auteur de plus de cent vingt-neuf méfaits revendiqués par le Front de libération.

HUBERT

(Murmurant.) Oui.

PROCUREUR

Vous admettez, et je cite, avoir commis, au cours des deux dernières années, une série d'actes de sabotages et de vandalisme sur des monuments et des édifices publics...

HUBERT

(Murmurant.) Oui.

PROCUREUR

Vous admettez être l'auteur d'une trentaine de vols à main armée...

HUBERT

(Murmurant.) Oui.

PROCUREUR

Vous admettez votre culpabilité dans des opérations de détournement de fonds et de fraude envers diverses compagnies de crédit dans le but de financer vos activités...

HUBERT

(Murmurant.) Oui.

PROCUREUR

Vous reconnaissez votre responsabilité dans le déraillement d'un train du Canadien National...

HUBERT

(Murmurant.) Oui.

PROCUREUR

...et dans le dépôt de bombes dans une quarantaine d'édifices et sur des monuments gouvernementaux...

HUBERT

(Murmurant.) Oui.

PROCUREUR

Sur le monument de la reine Victoria...

HUBERT

(Murmurant.) Oui.

PROCUREUR

Le monument du général Wolfe...

HUBERT

(Murmurant.) Oui.

PROCUREUR

Dans les boîtes à lettres de Westmount, Outremont, Saint-Léonard...

HUBERT

(Murmurant.) Oui.

PROCUREUR

Sur les terrains de l'université McGill et du campus Loyola...

HUBERT

(Murmurant.) Oui.

PROCUREUR

À la Bourse de Montréal...

HUBERT

Oui, c'est moi.

PROCUREUR

Aux ministères du Travail, du Revenu national, au secrétariat d'État...

HUBERT

(Murmurant.) Oui.

PROCUREUR

Au quartier général du ministère de la Défense...

HUBERT

(Murmurant.) Oui.

PROCUREUR

Au siège social de la Murray Hill...

HUBERT

(Murmurant.) Oui.

PROCUREUR

Au Club de Réforme, au Château Frontenac...

HUBERT

(Murmurant.) Oui.

PROCUREUR

Sur la croix du Mont-Royal et sur divers symboles de l'Église catholique!

HUBERT

Ah! non.

PROCUREUR

S'il vous plaît!

HUBERT

Pardon, est-ce que je peux vous interrompre?

Silence.

Il s'agit de l'Église capitaliste, monsieur le procureur de la Couronne.

PROCUREUR

Pardon?

HUBERT

Je dis: des symboles de l'Église capitaliste. Vos journalistes peuvent rajouter romaine, si vous voulez, moi je veux bien.

PROCUREUR

Ce ne sont pas mes journalistes, monsieur Godbout.

HUBERT

Une Église qui passe son temps à excommunier le Christ. À chaque jour. Mais bon, passons.

PROCUREUR

Oui. Bon.

HUBERT

Vous avez un morceau de jambon sur le menton, monsieur.

PROCUREUR

Pardon?

HUBERT

Je dis que vous avez un morceau de viande sur le menton, monsieur.

PROCUREUR

Ah bon, merci.

HUBERT

De bacon ou de rôti de porc frais...

PROCUREUR

Oui oui, merci.

HUBERT

Non, ça ne fait rien. C'est seulement, que j'ai entrepris un jeûne, il y a une semaine et que, bien que ce genre de vision-là m'indispose, mais ça ne fait rien.

PROCUREUR

Bon.

HUBERT

Excusez-moi. Je tenais seulement à préciser que c'est à cause de mon jeûne si j'ai l'air aussi mal en point aujourd'hui. Et si d'aucuns dans cette salle sont portés à croire que j'ai plaidé coupable tout bonnement parce que j'aurais pu être battu... ou torturé... ou drogué...

PROCUREUR

Écoutez, si vous alléguez quoi que ce soit que vous êtes pas en mesure de prouver...

HUBERT

Ah! Mais je me plains pas, monsieur le procureur. J'ai l'habitude de la souffrance, vous savez. Il fut même un temps où, seul dans ma petite cellule, pas ici, mais au monastère j'entends, je me flagellais moi-même, jusqu'à ce que le sang coule. Alors si vous, vous voulez insinuer que je suis du genre à me plaindre, je vous avertis que je ne le permettrai pas, monsieur.

PROCUREUR

Bon. C'est parfait.

HUBERT

Je vous remercie.

PROCUREUR

Bon.

HUBERT

Mais pourriez-vous m'appeler frère Hubert, si c'est pas trop vous demander?

PROCUREUR

Je vais vous appeler par le nom qui figure sur l'acte d'accusation, voulez-vous?

HUBERT

J'imagine que vous êtes dans votre droit.

PROCUREUR

Oui... Donc. Ce que vous avez dit à la cour ce matin, c'est que vous assumez la responsabilité de la centaine de crimes revendiqués par le Front de libération, n'est-ce pas?

HUBERT

Oui, c'est ça, oui. C'est bien moi. Et je vous demande une sentence exemplaire, si possible.

PROCUREUR

Vous pouvez être certain que je vais faire tout en mon pouvoir pour que ça se fasse.

HUBERT

Je vous remercie.

PROCUREUR

Maintenant, parlez-nous de vos activités, monsieur Godbout.

HUBERT

Oui... eh bien... je...

PROCUREUR

Oui?

HUBERT

J'étais désespéré, monsieur le procureur.

PROCUREUR

Pardon?

HUBERT

Je dis que j'étais dé-ses-pé-ré. Oui... C'est bien le mot. Vous savez, quand un homme décide de se faire moine à une époque où à peu près tous les moines choisissent de leur côté de redevenir des hommes, eh bien, c'est qu'il y a une raison, vous savez.

PROCUREUR

J'imagine, oui.

HUBERT

On gaspille pas sa vie comme ça impunément. Il faut avoir l'intime conviction que Dieu existe, vous comprenez?

PROCUREUR

Oui, mais je vois pas très bien ce que ç'a à faire avec les faits qui nous intéressent.

HUBERT

Vous, monsieur le procureur, croyez-vous en l'existence de Dieu?

PROCUREUR

Je vois pas très bien ce que Dieu a à faire là-dedans, monsieur Godbout.

HUBERT

Eh bien, vous allez rire (je sais, j'ai pas l'air de ça comme ça), mais moi aussi, j'ai fini par en douter.

PROCUREUR

Ça ne répond pas à ma question, monsieur Godbout.

HUBERT

Voyez-vous, durant toute mon enfance, j'ai côtoyé la souffrance du petit peuple soumis à la misère, à la peur et aux injustices... Si vous aviez vu le taudis où je suis né...

PROCUREUR

Ça ne répond pas à ma question.

HUBERT

Si vous aviez vu les yeux de mon pauvre père, mort à quarante ans d'un cancer que lui avait prodigué la machine à laquelle il était attaché depuis des siècles...

PROCUREUR

Tenez-vous-en aux faits, s'il vous plaît.

HUBERT

Vous sauriez de quoi je parle.

PROCUREUR

Je comprends, oui, mais je vous demande de vous en tenir aux faits.

HUBERT

Il y a de quoi révolter un fils.

PROCUREUR

Je vous demande de dire à la cour la nature de vos activités au sein du Front de libération, monsieur Godbout.

HUBERT

Excusez-moi... Je peux poursuivre?

PROCUREUR

Répondez à la question qui vous est posée, voulez-vous?

HUBERT

Eh bien, dès l'âge de seize ans, à la mort de mon père, mon vœu le plus cher a été de mettre fin à la misère qui avait eu raison de lui.

PROCUREUR

Monsieur Godbout...

HUBERT

C'est alors que j'ai décidé de me mettre au service de la révolution.

PROCUREUR

Bon. La révolution.

HUBERT

La révolution, oui. Ce grand geste d'amour commandé par Jésus Notre Seigneur, pour qu'un règne de justice arrive, sur la terre comme au ciel, pour les siècles des siècles amen, enfin vous connaissez l'histoire, j'imagine, depuis le temps...

PROCUREUR

Écoutez...

HUBERT

Alors j'ai décidé de me faire moine.

PROCUREUR

Oui, bon, ça, on a compris. Mais ensuite.

HUBERT

C'était la seule issue, pour moi, vous comprenez? Je viens d'un milieu pauvre et...

PROCUREUR

Ce que je comprends, c'est que si vous essayez de cacher vos activités subversives sous le couvert de bonnes intentions, vous faites fausse route, monsieur Godbout.

HUBERT

Vous croyez?

PROCUREUR

J'en suis absolument persuadé.

HUBERT

Eh bien, tout ce que j'essaie maladroitement de dire à la cour, c'est qu'avant de m'engager dans la subversion, comme vous dites, pendant des années, j'ai œuvré, de tout mon cœur, par la prière, par le jeûne, le silence et l'adoration des mystères de Dieu, pour faire arriver ce règne d'amour et de justice dont nous parlent les évangiles, surtout saint Jean, mais...

PROCUREUR

Limitez-vous à répondre aux questions que je vous pose, voulez-vous?

HUBERT

Mais un jour, l'horrible machine qui avait tué mon père tua mon oncle, puis un autre de mes oncles, mon oncle Charles. Alors j'ai su que j'avais échoué dans ma mission et que Dieu m'avait abandonné.

PROCUREUR

Écoutez!

HUBERT

Alors il a bien fallu que je me décide à passer aux actes, je n'avais pas le choix.

PROCUREUR

Je vous ai demandé de vous en tenir aux faits qui nous intéressent, alors vous allez vous en tenir à ça, voulez-vous? Sinon, je vais demander qu'on vous condamne pour outrage au tribunal.

HUBERT

Vous avez l'outrage facile, monsieur le procureur, mais je comprends votre situation.

PROCUREUR

Je vous avertis!

HUBERT

Mais je suis coupable, si c'est ce que vous voulez savoir, je suis coupable.

PROCUREUR

Ça, vous nous l'avez déjà dit.

HUBERT

Vous avez raison.

PROCUREUR

Donc... Vous avez quitté votre... monastère pour vous engager dans la clandestinité.

HUBERT

C'est exact.

PROCUREUR

Et ça a duré pendant près de deux ans.

HUBERT

Oui. Appelons un chat un chat, j'ai sombré dans les affres de l'affreux terrorisme, monsieur le procureur.

PROCUREUR

Qu'avez-vous fait pendant ces deux années?

HUBERT

J'ai cru que c'était le seul moyen de changer l'ordre de ce monde cruel dans lequel nous vivons.

PROCUREUR

Je vous demande pour la dernière fois de dire à la cour ce que vous avez fait pendant ces deux années.

HUBERT

Eh bien, j'ai fini par comprendre que la violence ne pourrait jamais avoir raison de la violence des puissants.

PROCUREUR

Bon. Très bien.

HUBERT

Justement parce qu'ils sont trop puissants.

PROCUREUR

Bon.

HUBERT

Cela dit, je ne veux pas dire qu'il n'y a pas de raisons de se révolter, contre vous et ce que vous appelez la justice, monsieur le procureur.

PROCUREUR

On n'est pas ici pour faire le procès de la justice, mais votre procès à vous.

HUBERT

Tout ce que je vous demande, c'est que vous m'aidiez à me purifier une bonne fois pour toutes en me permettant d'approfondir les épreuves de l'emprisonnement pendant le plus longtemps possible.

PROCUREUR

Monsieur Godbout.

HUBERT

Monsieur le procureur! Je pense que vous ne comprenez pas qu'il est extrêmement urgent pour vous et pour toute la population que vous représentez, de me jeter en prison, le plus rapidement possible.

PROCUREUR

Inquiétez-vous pas, ça ne saurait tarder.

HUBERT

Eh bien je m'inquiète, oui, justement. Parce que j'ai peur que si vous attendez trop longtemps pour donner un exemple de châtiment très sévère à la population, d'autres suivent, après moi, qui risquent d'être autrement plus méchants que moi, et qui vont tout faire pour que le sang coule pour en finir une fois pour toutes avec l'injustice de vos patrons, vous comprenez?

PROCUREUR

Justement, monsieur Godbout...

HUBERT

Oui...

PROCUREUR

Dites-moi.

HUBERT

Oui.

PROCUREUR

Vous parlez d'autres agitateurs...

HUBERT

Oui.

PROCUREUR

Plus méchants que vous...

HUBERT

Oui...

PROCUREUR

Avez-vous des preuves? Des faits? Des noms?

HUBERT

Ah non. Malheureusement, je suis au courant de rien, j'ai toujours agi seul.

PROCUREUR

Je vous rappelle que vous êtes sous serment, monsieur Godbout.

HUBERT

Mettriez-vous en doute la parole d'un homme d'Église?

PROCUREUR

Hum...

HUBERT

J'ai seulement la prémonition qu'il y a des gens, en dehors de cette cour, qui croient que pour faire arriver la justice sur cette terre, le sang doit couler, c'est tout.

PROCUREUR

Mais qui?

HUBERT

Qui? Ça, je l'ignore.

PROCUREUR

Vous n'aviez aucun complice?

HUBERT

J'ai vécu dans une solitude extrême, monsieur le procureur. Et je peux le prouver.

PROCUREUR

Vous pouvez quand même pas prétendre que vous avez fait tout ça tout seul?

HUBERT

C'est ce que je prétends.

PROCUREUR

Et si je vous disais, moi, que nous avons des témoins à présenter à la cour qui sont prêts à jurer qu'ils ont vu non pas un mais plusieurs individus perpétrer certains des crimes dont vous vous accusez?

HUBERT

Je vous dirais qu'ils se trompent.

PROCUREUR

Ah oui?

HUBERT

Eh oui.

PROCUREUR

Je vous rappelle que vous êtes sous serment.

HUBERT

Oui, vous me l'avez déjà dit.

PROCUREUR

Et que tout parjure ou faux témoignage peuvent être retenus contre vous.

HUBERT

Eh bien retenez, monsieur le procureur, retenez.

PROCUREUR

Bon, écoutez, là, ça va faire, votre petit jeu!

HUBERT

Mais c'est pas un jeu! Je vous dis que je suis coupable, et que je regrette ce que j'ai fait. Et je lance un appel à toute la population de ne jamais utiliser la violence pour mettre un frein aux injustices. Vous devriez être content, non?

PROCUREUR

J'ai peur pour vous qu'y soit un peu tard pour ce genre de déclarations-là, monsieur Godbout!

HUBERT

Ah oui, et pourquoi?

Sourds grondements dans l'Écho primitif.

PROCUREUR

Monsieur Godbout... Tout le monde, dans cette salle, sait que vous faites partie d'une organisation bien montée dont le but avoué est de renverser le gouvernement.

HUBERT

Eh bien prouvez-le.

PROCUREUR

À l'heure où je vous parle, chaque citoyen de ce pays sait que vous avez des complices, bien armés, qui sont décidés à prendre tous les moyens pour empêcher la justice de faire son travail...

HUBERT

Mais puisque je vous jure que j'ai toujours agi seul...

PROCUREUR

Alors comment expliquez-vous que ce matin même, des membres du Front de libération ont kidnappé un ministre du gouvernement?

HUBERT

Ah oui?

Martèlements dans l'Écho primitif.
Pierre, François et Marie entrent.

PIERRE

De tous temps, toutes les civilisations — toutes les nations, toutes les religions, tous les peuples sont venus au monde, parce qu'un jour, le sang a coulé.

PROCUREUR

Avez-vous une réponse à ça, monsieur Godbout?

HUBERT

...

PIERRE

Et les membres du Front de libération ne voient pas pourquoi ce pays-ci ferait exception à cette règle-là.

PROCUREUR

Comment expliquez-vous ça?

HUBERT

...

PIERRE

Alors, si à minuit ce soir, les autorités en place n'ont pas libéré tous les prisonniers politiques, nous n'hésiterons pas à sacrifier cet homme qui s'interpose entre nous et l'infini... Ceci est notre dernier message.

HUBERT

...

PROCUREUR

Monsieur le juge, compte tenu de l'attitude de l'accusé et de la gravité des événements, je me trouve dans l'obligation de demander le huis clos.

Il sort.
Martèlements dans l'Écho primitif.
Hubert va s'asseoir à la table, sous le regard de Pierre et de
François.
Marie sort.

Deuxième scène

Silence.

FRANÇOIS

Pis si y disent non?

PIERRE

Y refuseront pas.

FRANÇOIS

Ouin, mais si y disent non pareil?

PIERRE

Inquiète-toi pas. Avant minuit, y vont venir manger dans nos mains.

Marie entre, des papiers en main.

Comment y'est?

MARIE

Y'a peur, y veut mourir.

PIERRE

Pis?

MARIE

J'y ai dit que si la police rentrait ici, y'a des balles qui pourraient se perdre, pis j'ai pas été obligée d'en remettre, y'a tout compris.

PIERRE

Tu y'as remis les menottes?

MARIE

Oui.

PIERRE

Son bandeau?

MARIE

Oui.

PIERRE

T'as pris ses papiers?

MARIE

Tiens.

PIERRE

Comment y'a réagi?

MARIE

Je sais pas si ça va les convaincre, mais sa femme va vouloir mourir.

PIERRE

Parfait. Lis-nous ça. François.

Il lui indique de faire le guet.

MARIE

« Mon cher ami. J'ai la conviction d'écrire la lettre la plus importante de ma vie... »

PIERRE

(Savourant.) Hum...

MARIE

« Tu as en somme le pouvoir de décider de ma vie ou de ma mort... Nous sommes en présence d'une escalade bien montée qui ne se terminera que par la libération des prisonniers politiques. »

PIERRE

C'est parfait.

MARIE

« Je te demande de faire cesser toutes les recherches policières. Si on découvrait l'endroit où je suis, cela se terminerait par un bain de sang dont je ne sortirais pas vivant. Autant agir tout de suite pour éviter le pire. Toute mon amitié. »

PIERRE

Y'a signé?

MARIE

Oui.

PIERRE

On les tient. Avec ça, y auront pas le choix. François, tu vas aller porter ça.

FRANÇOIS

Y'a quèque chose qui me gosse l'autre bord de la rue.

MARIE

Quoi ça?

PIERRE

Un char?

FRANÇOIS

Non.

PIERRE

Du monde s'a rue?

FRANÇOIS

Nonon.

PIERRE

Quelqu'un dans une fenêtre?

FRANÇOIS

Nonon, rien, rien.

PIERRE

Tchèque comme faut.

FRANÇOIS

Oui oui.

PIERRE

Laisse rien passer sans m'en parler.

FRANÇOIS

Ben non, ben non, ben non.

MARIE

C'est quoi qui t'achale?

FRANÇOIS

Je le sais pas, rien, je le sais pas.

MARIE

Ça doit être ça qu'on appelle vivre intensément...

FRANÇOIS

Hubert avec, y doit être en train d'en vivre un coup à l'heure qui est là.

MARIE

Fais-toi z'en pas; à minuit, y va être sorti, votre grand innocent de frère.

FRANÇOIS

C'est aussi ben. Sinon, je l'égorge comme un mouton, leur hostie de ministre.

MARIE

Inquiète-toi pas, ça va bien se passer.

FRANÇOIS

Ça s'est faite trop vite...

MARIE

Quoi, trop vite?

FRANÇOIS

On embarque toués trois dans le char, dix minutes après, c'est comme si on était débarqué carré sur une autre planète.

MARIE

Oui... Luissi, y'a cette impression-là. Y comprend pas ce qui y arrive. Y se demande pourquoi on l'a pris, lui. Tu devrais y voir la face.

FRANÇOIS

Je veux pas le voir.

PIERRE

Écoutez! Le premier ministre a réuni son cabinet d'urgence!

MARIE

Que c'est qu'y disent?

PIERRE

Y sont fourrés.

MARIE

Que c'est qu'y disent?

PIERRE

On va les fourrer, comme personne les a fourrés avant nous autres. À nous trois, on va leur donner la chienne comme si on était des milliers. Je les vois d'ici, les gros pisseux d'impuissants. Cet enlèvement-là va leur faire plus de mal que toutes les bombes qui ont pété depuis des années. Le jour est pas loin où on va en avoir fini avec toute c'te marde-là.

FRANÇOIS

C'est le ciel!

MARIE

Quoi, le ciel?

PIERRE

Que c'est qu'y a, le ciel?

FRANÇOIS

Nonon, je le sais pas, y'a rien, y'a rien... Je... J'ai juste l'impression qu'y sera pus jamais pareil pour nous autres, le ciel...

PIERRE

Énarve-toi pas, François.

FRANÇOIS

Ben non, ben non...

PIERRE

Prends sur toi.

FRANÇOIS

Ben oui, ben oui...

PIERRE

C'est sûr qu'y sera pus pareil, le ciel. On va le virer à l'envers, le ciel... On va leur servir le plus beau brassage de marde qu'y auront jamais vu. Le bobo va péter, François, y va leur péter en pleine face...

FRANÇOIS

Oui oui, oui oui. *(Un temps.)* Tu m'as vu t'à l'heure quand j'ai levé mon gonne sur le petit gars pour pas qu'y approche, han?

MARIE

Oui.

FRANÇOIS

Pis?

MARIE

Pis quoi?

FRANÇOIS

Que c'est que t'as pensé?

MARIE

Rien.

FRANÇOIS

T'as pensé que j'allais tirer, han?

MARIE

Ben non, voyons...

Un temps.

FRANÇOIS

T'as pas eu peur?

MARIE

Ça s'est passé tellement vite, j'ai pas eu le temps d'avoir peur, François.

FRANÇOIS

Moi, c'est comme si j'avais été une journée de temps à le regarder, c'te petit gars-là, avec son ballon de football dins mains. Peut-être que j'aurais pu tirer.

MARIE

Écoute, François, pense pas à ça...

Un temps.

FRANÇOIS

Pis si y me l'avait lancé dessus, son hostie de ballon, les nerfs auraient pu me pogner, je le sais pas, un accident...

MARIE

Oublie ça, laisse faire ça, t'aurais pas tiré...

PIERRE

Tiens. Tu laisseras toute le sac.

FRANÇOIS

Oui oui.

PIERRE

T'oublies pas de changer ta voix au téléphone.

FRANÇOIS

Oui oui.

PIERRE

Une phrase courte.

FRANÇOIS

Oui oui.

PIERRE

Tu t'en reviens tout de suite après. Si tu rencontres quelqu'un s'a rue, tu dis pas un mot s'a game.

FRANÇOIS

Ben non, ben non.

PIERRE

Si y arrive quèque chose, t'appelleras. Non, appelle pas.

MARIE

Oui, appelle.

FRANÇOIS

Ben là !

PIERRE

Tu verras ce qu'i faut faire, mais appelle pas pour rien. O.K.?

FRANÇOIS

O.K., O.K.

PIERRE

Ta cagoule.

MARIE

Fais attention, François.

PIERRE

T'as rien sur toi, là, han?

FRANÇOIS

Si les chiens me cherchent, y vont me trouver.

PIERRE

Laisse ça, ici.

FRANÇOIS

Depuis le temps qu'y cherchent à me remettre la main dessus, je me fais pas trop d'illusions qu'à minute qu'y vont me repérer s'in coin de rue, ça va y aller par là.

PIERRE

Laisse ça ici, François.

MARIE

Donne.

FRANÇOIS

Pis si je reviens pas, que c'est que vous allez faire?

PIERRE

Ah arrête !

François lui donne son revolver.

MARIE

Inquiète-toi pas, tu vas revenir.

FRANÇOIS

Tu m'aimes-tu ?

Il l'embrasse.

MARIE

Va-t'en.

FRANÇOIS

En tout cas, Hubert, c'est correct ce qu'y a faite.

PIERRE

Laisse-faire Hubert, veux-tu, pis organise-toi pour revenir toute
d'un morceau.

FRANÇOIS

Oui oui.

Il sort.

MARIE

J'aime pas ça.

PIERRE

Inquiète-toi pas. Va le surveiller, c'est aussi ben qu'on le laisse pas
trop longtemps tout seul.

MARIE

On aurait dû déposer le communiqué avant de faire le coup. Ça
aurait évité à François de sortir.

PIERRE

C'était aussi ben qu'y aille prendre l'air un peu, tu penses pas ?

MARIE

J'aime pas ça qu'y soit pas là.

PIERRE

Inquiète-toi pas, ça va bien aller.

MARIE

C'est moi qui aurais dû y aller.

PIERRE

Écoute, Marie...

MARIE

T'as vu dans quel état y était?

PIERRE

Y'est s'es nerfs comme toi pis moi. *(Un temps.)* Pense pas au pire, Marie... Pense à la beauté du geste que t'es t'en train de poser...

MARIE

Beauté, mon cul.

PIERRE

Pense au monde, Marie, pense au monde pour qui tu fais ça. Pense à tout ce que t'es t'en train d'allumer dans leur tête. Pense à tout ce qui va s'éclairer dans leur esprit, à cause de ce qu'on fait. Pense à tout ce qui va s'ouvrir, à tout ce qui va se mettre à vivre pour ce monde-là, tout d'un coup. Un jour, à cause de ce qu'on fait là, les muets vont se mettre à parler, Marie, pis les sourds vont les entendre, pis tout ce beau monde-là va se mettre à danser... J'en mets un peu, là, mais pense à ce jour-là. Pis dis-toi que si ce jour-là arrive, c'est ici que tout ça aura commencé. Pense à ça. *(Un temps.)* Laisse-toi pas charrier. Pis parle-lui le moins possible.

Sourds grondements dans l'Écho primitif.

Marie! *Elle s'arrête.* Regarde-le pas dins yeux.

Elle sort.

Troisième scène

Martèlements dans l'Écho primitif.
Le Procureur entre.

HUBERT

Dieu vous bénisse, monsieur le procureur.

PROCUREUR

Merci.

HUBERT

Nonon. Je vous parle sincèrement. Dieu vous bénisse.

PROCUREUR

Oui oui, merci.

HUBERT

J'aimerais vous présenter mes excuses pour ce midi. Je suis pas vraiment habitué à me retrouver en public et je crois que ça m'a un peu excité.

PROCUREUR

Bon...

HUBERT

Mais la subtile brutalité avec laquelle vos policiers m'ont traité en m'amenant ici m'a apaisé. Et je vous en remercie.

PROCUREUR

Écoutez-moi bien, là. On repartira pas encore une fois avec votre bazar ici, c'est clair? Assoyez-vous.

HUBERT

Merci.

Il s'asseoit.

Qu'est-ce que je peux faire pour vous?

PROCUREUR

Vous allez me dire où se cache votre frère?

HUBERT

Mon frère? Mais... vous allez me dire lequel, parce que, vous savez, tous les hommes sont mes frères...

PROCUREUR

Bon. On va mettre les choses au clair en partant. Tout à l'heure on a reçu un communiqué du Front de libération qui menace d'exécuter leur otage si à minuit ce soir le gouvernement a pas autorisé la libération de tous les prisonniers soi-disant politiques. Et votre nom se trouve en tête de liste..

HUBERT

Ah oui! Et quand est-ce que je sors?

PROCUREUR

Faites pas l'innocent! On sait très bien qui a fait le coup. Sur l'enveloppe de leur communiqué, on a retrouvé les empreintes digitales de votre frère, François.

HUBERT

François? Je m'excuse mais je sais pas de qui vous parlez...

PROCUREUR

François Godbout. 25 ans. Né au Coteau-Rouge. Chauffeur de taxi de 63 à 68. Arrêté trois fois cette année-là pour voies de fait sur des agents de la paix et possession d'armes. Entré depuis dans la clandestinité. Recherché pour sabotage, dépôt de bombes, vols à main armée, etc. Membre du Front de libération. J'imagine que j'ai pas besoin de vous en dire plus long.

HUBERT

Non, ça va, merci.

PROCUREUR

Maintenant vous allez arrêter de jouer au fou avec moi et vous allez me dire où y se cache, lui pis sa gang, avant que leur folie les mène trop loin.

HUBERT

Je m'excuse, mais je suis au courant de rien. Êtes-vous sourd ou c'est votre sens de la justice qui vous rend dur d'oreille?

PROCUREUR

Bon... Je vous donne le choix. Ou bien vous fermez votre gueule et on vous colle en prison pour le restant de vos jours, ou bien vous nous aidez tout de suite à les empêcher d'aller trop loin et on verra à ce que vous puissiez bénéficier d'une remise de peine.

HUBERT

Ça ne m'intéresse pas.

PROCUREUR

Le ministre de la Justice m'a assuré que si vous collaborez, il pourrait aller jusqu'à vous accorder sa clémence.

HUBERT

Si j'ai plaidé coupable, c'est pour la purger, ma peine, pas pour être relâché. Je vous l'ai dit ce midi: j'ai toujours agi seul. Maintenant, si ce que vous dites est vrai et que mon frère est mêlé à une histoire d'enlèvement, je peux rien faire pour vous aider: je suis au courant de rien. Torturez-moi si vous voulez en avoir le cœur net, vous verrez bien.

PROCUREUR

C'est la vie d'un homme qui est en jeu.

HUBERT

Oui oui, je sais, je sais...

Un temps.

Je pensais pas qu'ils iraient jusque-là. Évidemment, on peut facilement comprendre pourquoi ils en sont rendus là, mais...

PROCUREUR

La question est pas là.

HUBERT

Oh oui, la question est là. La question est toute là. La question, c'est l'injustice, monsieur. Je sais bien que ça peut paraître un grand mot à vos oreilles de procureur de l'État, mais je le dis. L'injustice. Votre injustice. Comme celle de vos journaux, quand une grève éclate, et que tout ce que vos journalistes rapportent, c'est l'image du feu que les grévistes ont mis à leur usine, l'image des vitres brisées, l'image du saccage, du pillage, l'image du spectacle d'une bande d'enragés prêts à tout défoncer. Demain, ça sera l'image d'un ministre qu'ils ont assassiné. Mais quand est-ce qu'il est question du désespoir qui pousse des gens comme mon petit frère à des gestes comme ceux-là? On n'en vient pas à ça pour le plaisir, monsieur le procureur...

PROCUREUR

La question est pas de savoir pourquoi ils en sont arrivés là, mais de savoir comment on peut les empêcher d'aller trop loin.

HUBERT

Eh bien, je crois que c'est vous et vos patrons qui avez la réponse à ça, monsieur. Pas moi. Dites-leur de me libérer, moi et les autres, c'est tout ce qui leur reste à faire. Et moi, je vous promets qu'une fois le ministre relâché, je reviendrai vous voir pour purger ma peine. C'est vraiment le mieux que je puisse faire.

PROCUREUR

C'est pas parce qu'un homme a le crâne rasé que ça l'empêche d'avoir une mentalité de pouilleux, han?

HUBERT

Allez voir le premier ministre, monsieur le Procureur, et dites-lui...

PROCUREUR

Le premier ministre a choisi de pas céder au chantage d'une gang de bandits qui ont décidé de faire la loi!

HUBERT

Alors il sera complice dans la mort de cet homme-là.

PROCUREUR

C'est vous le complice, ici. Pas le premier ministre.

HUBERT

Appelez-le. Oui, appelez-le, et dites-lui qu'il est grand temps pour lui de répondre par l'amour, monsieur...

PROCUREUR

Soyez pas cynique.

HUBERT

Oui, l'amour! Je sais bien, ce mot-là aussi, c'est un bien grand mot, mais je le dis: l'amour. Rappelez-lui que l'amour est la plus grande de toutes les raisons d'État. Qu'elle est la raison même de l'État.

PROCUREUR

C'est ça.

HUBERT

Appelez-le et dites-lui que s'il prie le même dieu que moi, quand il s'agenouille, les mains jointes et les yeux fermés après avoir reçu la communion devant les caméras de la télévision, eh bien que tout ce qu'il a à faire, pour faire arriver la justice, c'est de tendre l'autre joue, maintenant.

Un temps.

Je m'excuse d'insister, mais, y va absolument falloir que je lui parle, sinon on peut vraiment s'attendre au pire.

Un temps.

Bon. Vous pouvez m'enlever ça?

PROCUREUR

Non.

HUBERT

Ça fait rien.

Il se signe et se met en prière.
Sourds grondements dans l'Écho primitif.

Quatrième scène

Marie entre.

PIERRE

Comment ce qu'y va?

MARIE

Comment c'tu filerais, toi, si tu te faisais kidnapper par trois enragés qui ont décidé de changer le monde sur ton dos?

PIERRE

Voyons, que c'est que t'as?

MARIE

Y vient de me dire qu'y accepteront pas.

PIERRE

Inquiète-toi pas. Y vont nous toffer ça jusqu'à minuit. Mais y vont finir...

MARIE

Y m'a juré qu'y accepteront pas.

PIERRE

Y seront pas cyniques au point de signer son arrêt de mort.

MARIE

Y'a connaît, la ligne du gouvernement, c'est lui-même qui l'a tracée.

PIERRE

Y bloffe.

MARIE

Y'a pas le sourire de quelqu'un qui se raconte des histoires.

PIERRE

Y prendront pas ce risque-là.

MARIE

Y dit que si y font rien, c'est pour gagner du temps, pour donner une chance à police de nous tomber dessus.

PIERRE

C'est évident, mais y nous trouveront pas. Inquiète-toi pas. Quand ça va être fini, tu verras, tu seras fière, Marie, d'être passée par là. Un jour, les lendemains vont chanter, Marie...

MARIE

Niaise-moi pas.

Un temps.

PIERRE

Est-ce qu'y a mangé?

MARIE

Oui.

PIERRE

Toute son assiette?

MARIE

Pis une pomme.

PIERRE

Y mangerait pas...

MARIE

Quoi, y mangerait pas?

PIERRE

Si y'a faim, c'est qu'y sait qu'y va s'en sortir, sinon y mangerait pas.

MARIE

Peut-être pas.

PIERRE

Alors pourquoi y mangerait? Un homme qui va mourir écoute rien d'autre que son ventre.

MARIE

Y'a peut-être pas faim. Y mange peut-être juste pour me montrer qu'y'est capable de manger. Même si y'a pas faim. Comme si c'était le seul moyen qu'y avait pour me tenir tête...

PIERRE

Laisse faire ce qu'y dit pis ce qu'y pense: c'est pas lui qui mène ici. Si tu commences à écrire une thèse à chaque bouchée qu'y avale ou à chaque fois qu'y se casse un ongle, t'as pas fini, ma fille.

MARIE

Ah ta gueule!

PIERRE

Qu'est-ce qu'y t'a dit au juste?

MARIE

Tu peux aller le voir, si t'as des questions à y poser, y'est là sur son lit, pis chus sûre qu'y dort pas.

PIERRE

Je veux pas le voir.

MARIE

Y'a les yeux doux.

PIERRE

Je veux pas les voir, ses yeux.

Un temps.

MARIE

Y demande si y pourrait pas faire sa toilette.

PIERRE

Faire quoi?

MARIE

Se laver, se brosser les dents, se peigner, se raser, se décrotter les oreilles, faire sa toilette, y'a pas eu le temps à matin, on l'a enlevé trop vite...

PIERRE

Y'est pas à l'hôtel ici, qu'y s'endure. On n'est pas là pour le torcher.

MARIE

Y veut juste se laver.

PIERRE

Ça va juste être bon pour lui de savoir ce que c'est que baigner dans sa marde, un peu.

MARIE

Mais oui, mais Pierre...

PIERRE

Écoute, Marie. Si t'as besoin de jouer à mère avec lui pour te donner l'impression que t'es t'en train de faire autre chose que...

MARIE

Je joue pas à mère avec lui!

PIERRE

Ben arrête de le prendre en pitié! Y'est dans la prison du peuple
ici, pis tant qu'y va être ici, on va le traiter comme un prisonnier,
pas plus, pas moins, pis ça finit là.

MARIE

C'est pas une raison pour l'empêcher de se laver si y'a envie de se
laver.

PIERRE

On a autre chose à faire que de penser à la toilette de monsieur,
merde, tu penses pas? Ah, pis si ça peut te faire du bien, va donc
y dire qu'on est aussi pognés que lui ici, à l'heure qu'y'est là, pis
qu'on le sait pas qui est l'otage de qui, pis que si jamais la police
rentre ici, y'est aussi ben de faire ses prières, si y croit encore au
Bon Dieu, parce que ça va péter, O.K.!

Martèlements dans l'Écho primitif.
Elle sort.

Cinquième scène

PROCUREUR

Dites-nous où y se cachent, et je vous promets que jamais votre frère saura que c'est vous.

HUBERT

Je suis innocent, monsieur le procureur. Je... Je vous ai menti ce matin. Je n'ai jamais été membre du Front de libération.

PROCUREUR

Et votre frère, lui, c'est au profit des témoins de Jéhovah qu'y a organisé c'te kermesse-là !

HUBERT

Je voudrais pas avoir l'air de médire contre personne mais, c'est ma mère qui est responsable de tout ça.

PROCUREUR

Ah! Votre mère!

HUBERT

Oui. Ma mère. C'est elle qui est venue me voir à l'abbaye. Pour me prévenir des mauvais coups que mon frère préparait avec ses amis... Et... Si vous aviez vu ses yeux, monsieur...

PROCUREUR

Oui oui oui...

HUBERT

Il y avait là de quoi troubler la solitude la plus endurcie, vous comprenez?

PROCUREUR

Fffff...

HUBERT

Alors comme saint Paul a quitté sa Tarse natale pour aller annoncer la bonne nouvelle aux peuples du monde entier, j'ai quitté le monastère pour retourner dans le monde, voir mon frère et ses amis, et leur parler. Pendant des mois, je les ai cherchés. Mais ne sachant pas où les trouver, je me suis livré à vous et à vos journalistes, pour faire entendre ma voix. Pour qu'ils sachent le message révolutionnaire de Jésus. Que personne ne peut combattre l'injustice en devenant injuste à son tour. C'est pour leur faire comprendre cette sagesse-là que je suis venu vous voir. Mais je m'y suis pris trop tard... Et ce soir, mon frère deviendra un assassin. Pourtant, je sais que si j'avais pu le voir, si Dieu m'avait accordé ne serait-ce qu'une heure avec lui, je sais que j'aurais pu le convaincre. Je sais que j'aurais pu... parler à son cœur. Non. C'est pas vrai. J'en sais rien au fond. Je le connais pas, mon frère, ça fait cinq ans que je l'ai pas vu. Mais j'imagine qu'y m'aurait compris.

PROCUREUR

Vous pensez quand même pas que vous allez me faire avaler ça?

HUBERT

C'est la vérité, je vous le jure. Appelez ma mère et demandez-lui.

PROCUREUR

Dites-nous où y se cachent.

HUBERT

Je l'sais pas plus que vous.

PROCUREUR

Le gouvernement acceptera pas.

HUBERT

Alors y nous reste la prière.

Un temps.

Vous savez ce que Martin Luther King a dit dans son dernier sermon, la veille de son assassinat?

PROCUREUR

Qu'y faisait un rêve.

HUBERT

Non. Ça c'est bien avant. Ah oui... «*I have a dream... I have a dream that one day, on the red hills of Georgia, sons of former slaves and sons of former slave-owners will be able to sit down together at the table of brotherhood...*» *The table of brotherhood.* La table de la fraternité, c'est beau, non? Mais c'est pas de ce sermon-là que je vous parle. Savez-vous ce qu'y disait?

PROCUREUR

J'imagine que vous allez me le dire.

HUBERT

Oui... Y disait... qu'y savait qu'y avait devant lui des heures difficiles à passer, mais qu'y était pas inquiet.

PROCUREUR

Tant mieux pour lui.

HUBERT

Y disait qu'y voulait vivre, le plus longtemps possible, comme tout le monde, mais que peu importait ce qui allait lui arriver, y était pas inquiet. Vous savez pourquoi?

PROCUREUR

Non.

HUBERT

Parce qu'y avait vu la Terre Promise.

PROCUREUR

C'est ça.

HUBERT

Et que si lui y entrait pas de son vivant, y savait qu'un jour vien-
drait, un beau jour, où son peuple allait y entrer, lui. Et que la
volonté de Dieu serait faite.

PROCUREUR

Écoutez, si vous avez pus rien à dire, taisez-vous donc!

HUBERT

C'est cette force-là, monsieur le procureur, qui finira par avoir
raison de vous. Cette foi-là. Celle qui déplace les montagnes. J'ai
confiance. Les prochaines heures, les prochains jours, les prochains mois, les prochaines années, les prochains siècles vont être
difficiles à passer, mais j'ai confiance.

Un temps.

C'est dans la nuit la plus noire que les étoiles nous apparaissent
le mieux.

Il se signe et se met en prière.
Sourds grondements dans l'Écho primitif.

Sixième scène

François entre lentement.

PIERRE

François... Ah! Chus content de te voir, François. Marie!

Marie entre et se précipite dans les bras de François.

MARIE

Chus contente de te voir, François. Ça va?

FRANÇOIS

Ça allait mieux avant que je vienne au monde, si c'est ça que tu veux savoir.

MARIE

Qu'est-ce qu'y a?

FRANÇOIS

La prochaine fois qu'y en a un qui m'approche, qu'y fasse rien que me demander l'heure, je le tire à bout portant.

PIERRE

La police t'a suivi?

FRANÇOIS

Y'en a deux qui m'ont collé au cul toute la christ de journée.

PIERRE

T'es as semés?

FRANÇOIS

Qu'est-ce tu penses?

PIERRE

Où ça?

FRANÇOIS

En sortant du pont.

PIERRE

Ah le tabarnaque! T'es as amenés de ce bord icitte!

FRANÇOIS

(Hurlant.) Écœure-moi pas, O.K.!

Un temps.

PIERRE

On reste calme, veux-tu? On est s'es nerfs autant que toi. T'es sûr
que tu les as semés?

FRANÇOIS

Hubert, lui?

PIERRE

Je te demande si t'es sûr de pas les avoir amenés jusqu'ici?

FRANÇOIS

Pis moi je te demande que c'est qu'y se passe avec notre frère?

PIERRE

On n'a pas de nouvelles. Le gouvernement dit rien.

FRANÇOIS

Y'est quelle heure, là?

MARIE

Regarde-moi, François...

FRANÇOIS

Je veux savoir y'est quelle heure?

MARIE

François.

FRANÇOIS

Si y disent non, que c'est qu'on fait?

PIERRE

Y refuseront pas.

FRANÇOIS

Ouin, mais si y refusent?

PIERRE

Y vont nous niaiser jusqu'à dernière minute, mais y refuseront pas, inquiète-toi pas.

FRANÇOIS

Je m'inquiète pas, je te demande que c'est qu'on va faire si y disent non?

PIERRE

On va les toffer le temps qu'on va pouvoir. Dans deux jours, trois jours maximum, toute va être réglé.

MARIE

Eille! On s'est entendu sur un plan: on a dit jusqu'à minuit. Pis après ça, on décampe. On s'est entendu. Écoutez, là!

FRANÇOIS

Les chiens, eux autres, y attendent-tu d'avoir un plan pour faire ce qu'y ont à faire? Han? Non... À minute qu'y ont que'qu'un qui a le moindrement l'air pouilleux qui leur retontit dans face, y vargent, les gros bras. Si ta face leur revient pas parce que t'es pas né du bon bord de la track, y te fessent dessus, n'importe où, n'importe quand, y te swignent dans le panier à salade, y te matraquent le bottin de téléphone s'a tête, y te sacrent en dedans des mois de temps, des années de temps, y se gênent pas, eux autres...

MARIE

Calme-toi, là, François.

FRANÇOIS

C'est de leur mettre du plomb dans tête qui va me calmer.

MARIE

Arrête, là, O.K. À minuit, on va sortir d'icitte, pis on aura fait ce qu'on a pu.

FRANÇOIS

On leur a dit qu'on irait jusqu'au bout. Que c'est que ça veut dire, ça, aller jusqu'au bout?

MARIE

Arrête, François.

FRANÇOIS

On leur a dit qu'on le ferait, pis si y nous forcent à le faire, va falloir qu'on le fasse!

PIERRE

O.K., farme-la! Tu l'as faite, ta petite crise, astheure, tu vas te calmer, veux-tu?

Un temps.

Y nous reste pas deux heures à tenir, c'est pas le temps de paniquer pis de commencer à se manger entre nous autres. Y'a un paquet de monde qui nous appuient dehors. À radio, ça arrête pas. À l'université, les étudiants sont en grève. Pis le gouvernement trouve rien d'autre à faire que de fermer sa gueule. On va les avoir.

Un temps.
Sourds grondements dans l'Écho primitif.
Tous s'allument une cigarette, sauf Hubert. Il ne se passe rien.

PIERRE

Tantôt, y'a un gars à radio, un bonhomme d'une soixantaine d'années, avec une grosse voix, la gorge sèche comme la graine d'un curé, qui a dit que c'était le plus grand jour de sa vie. Y'a commencé en disant qu'hier soir, y avait enlevé son poster de Che Guevara sur le frigidaire chez eux pour le jeter aux poubelles, parce qu'y était complètement désillusionné de la jeunesse, pis qu'y était prêt à mourir, à aller creuser sa tombe dans le champ en arrière de chez eux, pis à midi, quand y'a appris qu'on venait de faire notre mauvais coup, comme y disait, y'est allé rechercher son poster dins poubelles, il l'a attaché après un bâton, pis y'est allé manifester dans rue en face de la maison du ministre... Y disait qu'y voudrait être là, avec nous autres, en train de faire ce qu'on fait là. Y disait qu'y nous admirait, qu'y nous enviait...

MARIE

Y'a-tu du monde malade un peu !

PIERRE

Pis y'a fini par s'adresser directement à nous autres en disant que si on avait besoin de quelqu'un ou de quèque chose, on avait juste à l'appeler. Pis là, c'est pas ça, y'a donné son numéro de téléphone. Y s'est fait couper ça là, j'ai pas besoin de vous dire.....

PIERRE

Écoutez !

Un temps.
Lourds grondements dans l'Écho primitif.
Le téléphone sonne. Ils ne bougent pas.

Septième scène

Le Procureur décroche.

PROCUREUR
Oui... Bon. Très bien.

Il raccroche.

Le gouvernement a décidé de faire appel à l'armée.

Martèlements dans l'Écho primitif.

MARIE
L'armée? Quoi, l'armée?

PIERRE
Les tabarnaques!

MARIE
Mais pourquoi l'armée?

PIERRE
Que c'est que tu veux que je te dise! Va le voir. Pis dis-y, tabarnaque! Dis-y que c'est ça qu'y se fait répondre par ses tchommes du gouvernement.

Elle sort.

François, tchèque la fenêtre. *(François ne bouge pas.)* Tchèque dehors je te dis. François! *(François ne bouge pas.)*

HUBERT

L'armée... Vous vous rendez compte? C'est parce que votre façon de voir le monde et de l'administrer a rendu le monde insensible et indifférent que la violence devient ce qu'elle est en train de devenir. C'est-à-dire le dernier moyen qu'il reste, à des êtres comme mon frère, pour se sentir libres...

Un temps.

Peut-être que si vous vouliez prier avec moi...

PROCUREUR

Eille, ça va faire, les singeries, O.K.!

> *Hubert se signe et se met en prière.*
> *Grondements dans l'Écho primitif.*

Huitième scène

Marie entre.

PIERRE
Comment y'a réagi?

MARIE
Y'a dit qu'y savait.

PIERRE
Qu'y savait quoi?

MARIE
Qu'y allait mourir.

PIERRE
Les enfants de chienne!

MARIE
Que c'est qu'on fait?

PIERRE
Que c'est que tu veux qu'on fasse?

MARIE
On peut pus rester ici.

PIERRE
Si on envoyait un autre communiqué?

MARIE

Pour dire quoi?

PIERRE

Qu'on retarde la sentence.

MARIE

On a dit à minuit, pis à minuit, moi, je sacre mon camp d'icitte.

PIERRE

On leur dit qu'on retarde la sentence, pis qu'on leur donne la nuit pour renvoyer les soldats d'où ce qu'y viennent, pis de libérer les autres, sinon, on hésitera pas.

MARIE

Y le feront pas.

PIERRE

L'important, c'est de gagner du temps. L'important, c'est de garder le monde en haleine le plus longtemps possible.

MARIE

Ça sert à rien, Pierre: on l'a, leur réponse. Que c'est que ça va te prendre de plusse?

PIERRE

Les tabarnaques...

Un temps.

FRANÇOIS

Si y sont capables d'aller au boutte de leur logique, eux autres, va falloir qu'on aille jusqu'au boutte, nous autres avec.

MARIE

Le monde nous le pardonneront pas, François.

FRANÇOIS

C'est de se laisser faire qu'y nous pardonneront pas, Marie.

MARIE

On n'a pas à prendre le sort du monde sur nos épaules.

FRANÇOIS

Je prends pas le monde sur mes épaules! *(Un temps.)* Je me sus peut-être pas usé le fond de culottes s'es bancs d'école aussi long-temps que vous deux pour savoir exactement pourquoi chus là, à soir, mais chus là. *(Un temps.)* Peut-être qu'on n'aurait jamais dû s'embarquer là-dedans, mais là y'est un peu tard pour y penser. On a dit qu'on le ferait, pis si y faut que je le tue, je vas le tuer. Pas parce que je pense que ça va changer la face du monde, mais parce que si personne se tient deboutte dans c'te pays-citte, si y a jamais personne qui leur dit «non» pour une fois, si on continue encore pis encore à se laisser botter le cul sans répondre, ben y vont toujours nous le botter, le cul. *(Un temps.)* Si y en ont des rai-sons, eux autres, toute la gang, pour passer leur vie, le gonne au poing, à traiter le monde que j'aime de trous de cul, pis de cras-seux, pis de bommes finis, pis de pauvre monde, pis de pouilleux, comme si on avait toute la gale depuis qu'on est au monde, ben moissi j'en ai, des raisons. Des maudites bonnes raisons! Si y en ont des raisons, eux autres, de nous tenir la tête calée dans nos petits tas de marde pis de poussières comme des chiens qui jap-peront jamais de leur petite vie parce qu'y s'imaginent que de toute façon: «C'est la vie!» On peut rien y faire: «C'est la vie!» Ça servira jamais à rien de japper: «C'est la vie!» Ben moi, y me dompteront pas, moi! Y me dompteront pas, moi, comme y ont dompté toués autres dans le boutte icitte pis qu'y vont continuer à le faire si on leur répond pas, une fois dans notre vie. *(Un temps. Se calmant:)* O.K., correct... *(Un temps.)* Non, je le sais pas ce qui a de vrai à soir, mais ce que je sais, c'est que quand je crie parce que ça fait mal, c'est vrai, ça. C'est peut-être la seule affaire que je sais qu'y a de vrai, mais c'est vrai.

Un temps.

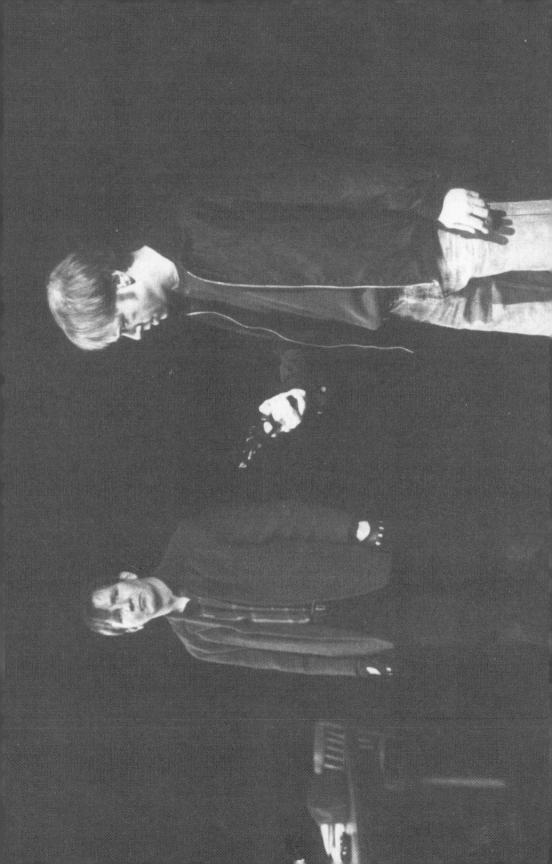

MARIE

Y'a les yeux doux. Ça aussi c'est vrai.

FRANÇOIS

Hubert avec, y'a les yeux doux. On les a toutes les yeux doux. Mais c'est pas pour les beaux yeux de personne qu'a se joue, c'te game-là.

MARIE

Va le voir, un peu. Va y parler. Tu vas voir...

FRANÇOIS

C'est pas après lui que j'en ai. Je le connais pas. C'est peut-être le meilleur gars du monde dans le fond. Mais on est toutes les meilleurs gars du monde, dans le fond. Ça a déjà été moi, le meilleur gars du monde. *(Un temps.)* Où tu vas? Reste icitte, Marie. Marie, reste 'ec moi!

> *Elle sort. Pierre et François se font face.*
> *Sourds grondements dans l'Écho primitif.*

Neuvième scène

HUBERT

Je sais où y se cachent... Si vous me promettez de m'y amener, tout de suite, je crois que je peux les convaincre de le relâcher. Après, vous me ramènerez. Vous serez devenu un héros. Une manière de sauveur. On vous nommera sous-ministre.

PROCUREUR

Y'est trop tard...

HUBERT

Je vous dis que je sais où y sont.

PROCUREUR

Y'est trop tard.

Un temps.

HUBERT

Ah! Dieu du ciel... Vous avez besoin d'un mort, c'est ça? *(Un temps.)* Ça doit être un métier horrible que celui d'être injuste, non? *(Un temps.)* Je vous aime, monsieur le procureur. *(Un temps.)* Non. Non, j'essaie de me convaincre que je vous aime, mais je suis pas certain que j'y crois vraiment. Pourtant, j'aime bien dire à quelqu'un que je l'aime. Je me dis seulement que quand j'en aurai fini avec ça... quand le besoin de vous haïr va commencer à faiblir... eh bien que... que l'envie de vous détruire risque de disparaître. Un jour, ça viendra. J'ai confiance.

Le Procureur décroche le téléphone.

PROCUREUR

Vous pouvez venir le chercher.

Il raccroche, sort.

HUBERT

Adieu, monsieur le procureur.

Sourds grondements dans l'Écho primitif.

Dixième scène

Marie entre.

MARIE

Bon, y'est et quart, là, ça va faire.

PIERRE

Comment y'est?

MARIE

Y'est pus là.

PIERRE

Quoi, y'est pus là?

MARIE

Ça l'a tué. Y bouge pas. Y parle pas. J'y ai dit de pas avoir peur, qu'on y toucherait pas, mais y m'entend pas. Que c'est qu'on fait?

PIERRE

Que c'est que tu veux qu'on fasse?

Un temps.

Tu voudrais qu'on s'excuse? Qu'on demande pardon à genoux? Qu'on condamne tout ce qu'on a fait pis qu'on dise au monde que le mieux à faire c'est de rentrer ben sagement chez eux en laissant le chemin grand ouvert à toués cliques de rapaces qui vont toujours avoir le droit, eux autres, de se défendre autant qu'y veulent en envoyant la police pis l'armée sans que jamais on réponde?

MARIE

Le monde nous le pardonneront pas, Pierre, y nous le pardonneront pas.

PIERRE

Qui a démissionné au gouvernement? Qui s'est opposé à ce que l'armée débarque? Qui a demandé qu'on le sauve?

MARIE

Ça sert à rien que tu me sortes toués raisons du monde, moi, je marche pas là-dedans.

PIERRE

C'est eux autres qui ont signé son arrêt de mort, pis va falloir trouver le courage de tirer nos conclusions.

MARIE

Faut le relâcher!

PIERRE

On a dit qu'on le ferait, Marie, on a dit qu'on le ferait.

MARIE

C'est pas un ministre qui est là, là, c'est un homme, rien qu'un homme.

PIERRE

C'est pas un homme, c'est un symbole!

MARIE

Eille, on va sortir d'icitte avant qu'y se mettent à deux cents pour nous tomber dessus!

PIERRE

On peut pas faire ça, on n'a pas le droit. Y'a un paquet de monde qui nous appuient dehors, pis notre devoir, c'est de pas les décevoir.

MARIE

C'est fini, Pierre. C'est fini, là, les gars!

PIERRE

À toués jours, c'est fini! À toués jours, ça finit! À toués jours!

MARIE

Pierre!

PIERRE

Y nous casent comme y veulent, y nous cassent comme y veulent, y nous lavent le cerveau, y nous charrient, y nous organisent... Pis on peut ben s'armer tant qu'on voudra, on peut ben mettre le feu partout, faire péter toués bombes qu'on voudra, tant qu'on sera pas des milliers, pis des milliers, pis des milliers, y vont toujours avoir le dessus, comme ils l'ont toujours, partout, tout le temps, depuis que le monde est monde, pis jusqu'à fin des temps... C'est ça qu'on veut? C'est ça? C'est ça? C'est pour ça qu'on est là?

MARIE

Je vous donne une minute pour vous décider, parce que moi, je sacre mon camp d'icitte.

> *Un temps.*
> *Pierre s'empare d'un revolver et marche vers l'ombre du ministre.*

Arrête... Arrête!

> *Il s'arrête.*
> *Un temps.*

PIERRE

(Faiblement.) Ah! Je voudrais le haïr... Ça serait tellement plus simple. Ça serait tellement plus facile, de l'haïr, lui, au nom de toués autres. Au nom de toués traîtres pis de toués crosseurs qui passent leur vie à nous vendre à une cenne la tonne. Mais non. Depuis trois cents ans, on n'a jamais été capable de ça, haïr! C'est pas aujourd'hui que ça va commencer! Pas de danger! Pourtant, c'est peut-être la seule chance qui nous reste, d'apprendre à haïr, de savoir c'est quoi, enfin, ça: haïr. Mais non...

Un temps.

On peut pas le tuer. On n'a pas le droit de faire ça.

FRANÇOIS

De quoi t'as peur, Pierre?

PIERRE

J'ai pas peur, François. Marie a raison. Faut sauver notre peau si on veut continuer à se battre.

FRANÇOIS

Y te font peur, han?

PIERRE

Non... C'est pas d'eux autres que j'ai peur.

Un temps.

C'est du jour, du beau jour où je vas me retrouver, tout seul, assis à table à maison, en face de mon fils, que j'ai peur... De la minute où y va me demander pourquoi j'ai ces yeux-là tout d'un coup. «Pourquoi?» «Pour rien.» «Non, pourquoi, papa?» «Parce que... ce que je vois, à la place de tes yeux, c'est les yeux d'un homme qui est mort, avant que tu viennes au monde... Un homme que j'ai assassiné, un soir d'automne. Un ministre que j'ai tué pour que tu puisses un jour être assis ici, en face de moi, pis que la vie soit possible entre un père et son fils autrement que celle qu'elle a été entre moi pis mon père à moi. » « C'est quoi un ministre, papa? » « Oublie ça. Un jour, je t'expliquerai. »

Un temps.

FRANÇOIS
Allez-vous-en.

Lourds grondements dans l'Écho primitif.

FRANÇOIS
À partir d'astheure, chus le seul responsable de mes actes.

MARIE
Non, t'es pas tout seul...

Ils ne bougent pas.
Un temps.

PIERRE
François...

MARIE
François...

François sort vers l'ombre du ministre.

PIERRE
François!

Ritournelle violente dans l'Écho primitif.
Détonation.
Silence.
Noir.
Seul le mouton égorgé demeure dans la lumière.

Manière d'épilogue

Pénombre.
Sourds grondements dans l'Écho primitif.
Au fond de la scène, Pierre et Marie, dos au public, immobiles.
Hubert se lève.
François entre, les menottes aux poings.
Un temps long.

HUBERT

Parle-moi.

FRANÇOIS

J'ai pus rien à dire...

HUBERT

Y faut que tu parles, François.

FRANÇOIS

Non.

HUBERT

Tu peux pas continuer d'assister à ton procès comme ça sans rien dire...

FRANÇOIS

J'ai fait ce que j'avais à faire, pis j'ai pus rien à dire.

Un temps.

HUBERT

Dans les journaux, on raconte que c'est peut-être un accident.

FRANÇOIS

Non.

HUBERT

Si c'est un accident, François, t'as pas le droit de laisser croire au monde que tu l'as tué si...

FRANÇOIS

C'est pas un accident. Pis j'ai pas envie de faire croire ça à personne. Tout ce qu'y me reste à faire, c'est de payer pour astheure.

HUBERT

Écoute, François...

FRANÇOIS

Non, toi, écoute-moi. Si y t'ont envoyé icitte pour me convaincre de parler, tu perds ton temps. J'ai fait ce que j'avais à faire, pis le reste, c'est moi qui vas vivre avec, O.K.? Moi pis personne d'autre...

Un temps.

HUBERT

Dans la Bible, c'est écrit que...

FRANÇOIS

Laisse faire la Bible, Hubert. C'est fini le temps des prières...

Un temps.

HUBERT

Je t'aime, François.

Sourds martellements dans l'Écho primitif.
Le Procureur entre.
François se rend au centre de la scène.

PROCUREUR

Monsieur le juge, compte tenu du fait que l'accusé a choisi de demeurer silencieux sur les circonstances entourant le meurtre abominable que l'on sait, nous avons demandé à son frère de venir témoigner afin que l'Histoire puisse juger les actes de cet homme avec clairvoyance. Monsieur Godbout.

HUBERT

Monsieur le procureur. Monsieur le juge. Mesdames, messieurs les jurés...

Un temps.

Mon frère a bel et bien commis le crime que vous savez et mon intention n'est pas d'essayer de l'innocenter. Au contraire, je veux vous présenter les vraies raisons de sa culpabilité, afin que vous sachiez tous ce que vous allez condamner en le condamnant.

Un temps.

J'aimerais profondément pouvoir vous dire que ce meurtre est le plus grand geste de courage qu'un citoyen de ce pays a posé et que c'est pour ce meurtre courageux que vous allez le condamner.

Un temps.

J'aimerais bien pouvoir vous dire que mon frère est un héros. Un héros qui nous a tous rendus un peu plus libres et un peu plus maîtres de notre monde. Un héros qui a sacrifié sa vie au service d'une utopie, ce rêve de nos ancêtres de fonder un nouveau monde où l'égalité et la fraternité seraient rois. Et que pour l'accomplissement de son rêve, il se devait d'aller jusqu'au meurtre d'un de ceux qui empêchent ce paradis d'aboutir et à l'utopie de voir le jour.

Un temps.

Mon frère a rêvé cette utopie. Il a eu ce rêve immense et naïf et impossible de faire mieux que les hommes et les dieux. Il s'est improvisé redresseur de torts en voulant libérer le monde de ses injustices, de ses souffrances et de son malheur, et offrir aux hommes et aux femmes de ce pays le spectacle d'un monde parfait.

Un temps.

Mais si mon frère est coupable, ce n'est pas d'avoir rêvé. Si mon frère est coupable, c'est d'avoir, lui-même, de sa main, tué son rêve en tuant cet homme.

FRANÇOIS

Non.

HUBERT

Son rêve et le rêve de tout un peuple qui croit et qui espère qu'il est possible de faire arriver un monde meilleur en toute justice.

FRANÇOIS

Non.

HUBERT

Et je crois qu'il mérite une sentence exemplaire...

FRANÇOIS

C'est ça.

HUBERT

Car j'espère que jamais le jour viendra où pour répondre à la violence légale et au cynisme de ceux qui gouvernent dans le mépris du peuple, j'espère que jamais la violence deviendra une nécessité.

FRANÇOIS

Bullshit.

HUBERT

J'espère que toujours, nous saurons tendre l'autre joue.

FRANÇOIS

Bullshit.

HUBERT

J'espère que toujours nous saurons dire non à la violence et que...

FRANÇOIS

Que quoi, calvaire! Tu trouves pas que t'en as assez dit?

HUBERT

Chus désolé, François.

FRANÇOIS

C'est ça.

HUBERT

Un jour, tu comprendras.

FRANÇOIS

Va chier, calice!

PROCUREUR

C'est tout?

HUBERT

Oui, c'est tout.

Il sort.

PROCUREUR

Nous n'avons plus rien à ajouter, monsieur le juge. Nous demandons une sentence à perpétuité.

Il sort.
Silence.
Un temps long.

FRANÇOIS

Allez toutes chier, ma gang de christ!

Chant nègre dans l'Écho primitif.

O Lord
Take me in your arms
O Lord
Take me in your heart
O Lord (take me)
O Lord

Noir.

... les lendemains qui chantent

Ne faites violence ni tort à personne
Et contentez-vous de votre solde

JEAN LE BAPTISTE
Luc, 3 14

Première scène

Mélopée doucereuse et légère dans l'Écho du temps nouveau.
Pierre entre.

PIERRE

Achèves-tu?

MARIE

(Voix off.) J'ai rien à me mettre.

PIERRE

Voyons donc t'as rien à te mettre!

MARIE

Je sais pas quoi mettre.

PIERRE

T'es belle, arrête donc. Tu le sais que t'es belle.

MARIE

Non, je le sais pas. Je le sais pus.

PIERRE

Je te le dis, moi.

MARIE

Toi! C'est pas assez, toi.

PIERRE

Pis peut-être que tu t'énerves pour rien. Peut-être qu'y viendra même pas.

MARIE

En tout cas, moi, si j'étais lui, après ce qu'on lui a fait, je suis pas certaine du tout que je viendrais.

PIERRE

Voyons donc, ce qu'on lui a fait! On lui a rien fait.

MARIE

Justement.

PIERRE

Pis y va comprendre. On va lui expliquer: y va comprendre.

MARIE

Peut-être pas.

PIERRE

Pis si y veut pas comprendre, tant pis.

MARIE

Qu'est-ce qu'y t'a dit au juste?

PIERRE

Ça fait cent fois que je te le dis.

MARIE

Ah! J'oublie, faut croire.

PIERRE

Y'a dit, y'a dit: «Allô.» J'y ai dit: «Qui parle?» Y'a dit: «C'est moi.» J'y ai dit: «Qui ça, toi?»

MARIE

Niaise donc pas.

PIERRE

Y m'a dit: « Ton frère ». Là, y'a eu un temps, j'ai marqué le coup, tu comprends? Sa voix avait drôlement changé. Honnêtement, je pensais pas qu'y appellerait. En tous cas, pas tout de suite en sortant. Peut-être qu'inconsciemment j'espérais qu'y appelle pas. J'ai justement vu un reportage là-dessus à télé américaine la semaine passée. On disait que Jung disait qu'un deuil, comme une mort ou une peine d'amour ou le départ de quelqu'un qui nous est cher, après deux ans, ça va.

MARIE

Qu'est-ce qui va?

PIERRE

Un deuil. Psychanalytiquement parlant.

MARIE

Quoi?

PIERRE

Un deuil. Psychanalytiquement parlant. Après deux ans, c'est comme si celui qu'on a perdu avait jamais existé.

MARIE

Pis?

PIERRE

Ben... Que le vide est comblé. Que la vie reprend le dessus.

MARIE

Pis?

PIERRE

Quoi, pis?

MARIE

J'ai manqué le début, je pense.

PIERRE

Laisse faire.

MARIE

Non non.

PIERRE

C'est rien d'important. Je te parle d'un reportage que j'ai vu la semaine passée à télé américaine.

MARIE

Sur la mort?

PIERRE

Non, sur la mémoire.

MARIE

Ah.

Il sort.

MARIE

Pis?

PIERRE

(Voix off.) Quoi?

MARIE

Sa voix avait changé...

Il entre.

PIERRE

Ah oui...

MARIE

Pis?

PIERRE

Qu'est-ce que tu veux savoir ?

MARIE

Ce qu'y a dit !

PIERRE

Y m'a rien dit, c'est moi qui a parlé tout le long.

MARIE

Bon ben, qu'est-ce que tu lui as dit alors ?

PIERRE

Je lui ai dit que... que j'attendais son appel pis que.. que j'aurais aimé le revoir... qu'y vienne chez nous... Pis...

MARIE

Tu y'as dit, pour nous deux, han ?

PIERRE

Oui oui...

MARIE

Pis qu'est-ce qu'y a dit ?

PIERRE

Qu'est-ce que tu voulais qu'y dise ?

MARIE

Je sais pas. Qu'y demande de mes nouvelles. Ou qu'y dise si y était content de nous revoir.

PIERRE

Y pouvait pas dire qu'y était content de nous revoir, y nous a pas encore vus.

MARIE

Toi, lui as-tu dit qu'on était contents ?

PIERRE

J'ai oublié.

MARIE

Je t'avais dit de lui dire.

PIERRE

Ben oui... Je m'étais juré, mais j'ai oublié.

MARIE

T'oublies toujours tout.

PIERRE

J'avais pas rien que ça à penser. J'étais avec une patiente sur l'autre ligne. En pleine dépression. Son mari venait de faire une troisième crise en six mois, pis a me demandait de venir. J'ai pas pu y parler longtemps.

MARIE

Alors on sait rien.

PIERRE

Inquiète-toi donc pas, ça va bien se passer.

MARIE

Je m'inquiète pas.

PIERRE

Pis c'est comme je te dis, si y nous fait une crise, on lui expliquera. Pis si y veut pas comprendre, ben tant pis.

MARIE

T'es cynique.

PIERRE

C'est ça qui me sauve. J'ai justement vu un reportage là-dessus à la télé américaine la semaine passée. On dit qu'en Californie, on a fait des expériences avec des vétérans de la guerre du Viêt-nam et que le meilleur moyen pour certains de s'en sortir, c'était de tourner en dérision tout ce qu'ils avaient vécu quand y étaient au front. On dit que cette technique-là fait des miracles présentement. Ça donne à réfléchir.

MARIE

Quoi?

PIERRE

Je dis: ça donne à réfléchir.

MARIE

Quoi ça?

PIERRE

Laisse faire.

MARIE

Nonon.

PIERRE

C'est rien d'important, je te parle d'un reportage que j'ai vu la semaine passée à télé américaine.

MARIE

Sur la guerre?

PIERRE

Non, sur la dérision.

MARIE

Ah.

PIERRE

Hum...

Un temps.

Y'est quelle heure?

MARIE

Et quart.

PIERRE

Y viendra peut-être pas.

MARIE

Quoi?

PIERRE

Je me demande si y va venir.

MARIE

Tu penses qu'y viendra pas?

PIERRE

Peut-être pas.

MARIE

T'es tendu, han?

PIERRE

Nonon, ça va, ça va.

MARIE

Y me reste une demi-dalmane si tu veux.

PIERRE

Nonon.

MARIE

Sinon, j'ai des valiums, mais...

PIERRE

Nononon, c'est correct, ça va, ça va aller.

MARIE

Ah...

Un temps.

Si tu mettais de la musique.

PIERRE

Bonne idée, oui, bonne idée.

Le téléphone sonne.

PIERRE

C'est lui. Veux-tu répondre?

MARIE

Je suis pas prête, là.

Le téléphone sonne. Pierre décroche.

PIERRE

Oui, bonsoir? Ah! Oui, je t'ouvre. Septième étage. Nonon, y'a pas d'appartement, on a le septième au complet. L'ascenseur va te laisser direct chez nous. On t'attend. Eille! J'ai... Euh... J'ai hâte de te revoir.

Il appuie sur un bouton du téléphone, puis raccroche.

PIERRE

J'y ai dit, là, es-tu contente?

MARIE

T'es con.

PIERRE

Achèves-tu?

MARIE

Oui oui.

PIERRE

Si t'es pas là quand y va rentrer, tu vas avoir l'air de quelqu'un qui a peur de se montrer.

MARIE
J'ai pas peur de me montrer, chus pas montrabe.

PIERRE
Voyons donc !

MARIE
J'ai peur qu'y me reconnaisse pas.

PIERRE
Voyons donc.

Marie entre.

MARIE
De quoi j'ai l'air ?

PIERRE
C'est parfait.

Un temps.

MARIE
Ah ! J'ai oubié de mettre ma montre !

Elle sort.

PIERRE
Laisse-faire ça.

MARIE
(*Voix off.*) Mets donc de la musique...

PIERRE
Bonne idée, oui, bonne idée.

Il ne bouge pas.

Deuxième scène

François entre.

PIERRE
François. Salut.

FRANÇOIS
Salut.

PIERRE
Chus content de te voir, François.

Un temps.

Élaine!

Marie entre.

MARIE
Salut, François.

Elle l'embrasse.

Ah! Chus contente de te voir.

FRANÇOIS
Élaine?

MARIE

Oui. Élaine. Je... J'ai changé... Aimes-tu ça?

Un temps.

PIERRE

Pas Hélène avec un *H*, là, Élaine avec un *E*.

FRANÇOIS

Ah oui...

PIERRE ET MARIE

Oui.

Un temps.

PIERRE

Rentre, rentre...

Un temps.

Quèque chose à boire?

FRANÇOIS

Nonon.

PIERRE

Voyons...

FRANÇOIS

Une bière, si y'en a.

PIERRE

Hum... On a-tu de la bière?

MARIE

Non.

PIERRE

J'aurais dû y penser.

MARIE

Ah, mais je peux aller en acheter.

FRANÇOIS

Non non, c'est correct.

PIERRE

Mais on peut te servir autre chose. On a de toute, sinon.

FRANÇOIS

N'importe quoi.

PIERRE

Fais-nous donc chacun un bon scotch.

MARIE

Oui... Tout de suite. Euh... Avec ou sans glace, François ?

FRANÇOIS

Ah... euh... N'importe comment.

MARIE

Je reviens.

Elle sort.

PIERRE

Oui... C'est Élaine, maintenant. A travaille en relations publiques depuis une dizaine d'années, pis un moment donné, c'est vraiment devenu une nécessité, elle en dormait pus, tu comprends...

FRANÇOIS

Non.

PIERRE

Je t'expliquerai.

Un temps.

Non, chus content de te voir, François.

Un temps.

T'as pas changé. Je veux dire... moins que je pensais.

Un temps.

C'est beau, han? D'ici, on voit un peu les saisons. Je veux dire, avec la montagne, là, ça... on se sent... je dirais pas à campagne, là, mais... On aime ça, en tout cas. Ça va faire trois ans qu'on est ici, là, pis on n'a pas à s'plaindre...

FRANÇOIS

Ah oui...

PIERRE

Oui. T'as pas trop eu de misère à te rendre? C'est un peu compliqué à trouver, han?

FRANÇOIS

Nonon.

PIERRE

Ben t'es bon. Parce qu'on a ben des amis, quand y viennent, ça leur prend un temps fou avant de trouver. Même nous autres, au début, on avait de la misère, tu peux pas savoir la misère qu'on avait...

Un temps.

Les entrées pis le stationnement ont été dessinés par un Belge, tu comprends? J'ai rien contre les dessinateurs belges, au contraire, mais c'est pas en s'inspirant de Bruegel qu'on dessine un stationnement. Remarque que j'aime beaucoup Bruegel. Toi?

FRANÇOIS

Quoi, moi?

PIERRE

Bruegel. Non? Tu connais pas Bruegel? Je te montrerai, j'ai des livres merveilleux que j'ai ramenés de Bruxelles. Ah! Bruegel! C'est un peintre fascinant. Une vision du monde. Une façon de moderniser le patrimoine. D'actualiser la tradition populaire. Un grand bonhomme. Faut absolument que tu fasses cette rencontre-là. C't'un ben grand bonhomme. Rien à voir avec le stationnement que tu vois là. Rien à voir. En tout cas, faut pas que j'y pense, des fois ça me donne l'envie de prendre mes cliques pis mes claques pis de partir d'ici sans laisser d'adresse. Mais t'es venu en taxi?

FRANÇOIS

Non. Quelqu'un est venu me reconduire.

PIERRE

Ah oui?

FRANÇOIS

Oui...

PIERRE

Qui ça?

FRANÇOIS

Quelqu'un.

PIERRE

Ah oui.

Un temps.

Tu sais, je serais ben allé te chercher, mais ça adonnait vraiment pas... Je... Si tu voyais les journées que j'ai.... c'est écœurant... Du travail, mon vieux...

FRANÇOIS

Je pensais pas que tu viendrais.

PIERRE

Oui...

Un temps.

T'es content?

FRANÇOIS

De quoi?

PIERRE

Ben... Je veux dire, ça doit faire drôle.

FRANÇOIS

Ah oui...

PIERRE

Ça a changé, han?

Un temps.

Ah oui... C'est incroyable comme ça change, han? Même nous deux, quand on est revenus de Paris, on n'en revenait pas comment ça avait changé. On n'en revenait pas. Tout avait changé. Incroyable... Ça... Ça nous a pris un bout de temps avant de s'adapter, mais... tu vas voir... c'est... c'est un moment à passer, c'est rien qu'un moment à passer. Plus ou moins long, dépendamment des gens. Mais, chus pas en peine pour toi, François. J'ai pas peur de te le dire. Chus pas en peine pour toi. T'en as vu d'autres, han?

FRANÇOIS

Oui...

Un temps.

Pis toi?

PIERRE

Quoi, moi?

FRANÇOIS

Que c'est que tu deviens?

PIERRE

Ah... Euh... Ben... J'ai fini par finir ma médecine. En rentrant. Ça a été l'enfer, tu peux pas t'imaginer. Je veux dire, ça a pas été évident de me remettre aux études après tout ce temps-là, tu comprends? Mais chus passé au travers. Pis je pratique. Depuis quatre cinq ans. Chus associé dans une clinique privée. Oui. Ça va bien. En tout cas, ça pourrait être pire...

Un temps.

Oui... Je m'occupe de soigner le cœur du monde...

FRANÇOIS

Ah oui.

PIERRE

Mais on n'a pas d'heures, si tu savais mon vieux, tu peux pas savoir comme on n'a pas d'heures.

FRANÇOIS

J'imagine.

PIERRE

Non. On a beau dire, la vie c'est un combat, han?

Un temps.

Oui...

    Un temps.

Voyons, c'est ben long, ces scotchs-là, donc!

    MARIE
(*Voix off.*) J'arrive...

    PIERRE
As-tu besoin d'aide?

    MARIE
(*Voix off.*) Nonon!

    Elle entre.

Tenez.

    FRANÇOIS
Merci.

    PIERRE
Merci, merci.

    MARIE
Chus contente de te voir.

    PIERRE
Je disais à François que t'étais relationniste pis que c'est pour ça
que...

    MARIE
Oui.

    Un temps.

    PIERRE
A... euh...

MARIE

Santé, François.

PIERRE

Oui, c'est ça, santé, François. Je bois à ta liberté. Salut.

MARIE

Salut.

FRANÇOIS

Salut.

MARIE

Pierre était pas certain que tu allais venir.

FRANÇOIS

Ah non?

PIERRE

Ben je me disais : y'est ben capable de pas venir.

FRANÇOIS

Ah oui.

PIERRE

Je veux dire, j'étais pas certain… J'étais pas sûr qu'y te donnerait mon numéro de téléphone à la… au… en sortant à matin. Là, je me sus dit, si y'a pas mon numéro, comme y connaît probablement pas mon nouveau nom, y va avoir de la misère à me trouver dans le bottin. Pis je vas te dire, quand t'as appelé à matin, ta voix au téléphone, j'étais pas certain pantoute que c'était toi, j'étais pas certain pantoute !

FRANÇOIS

C'était moi.

PIERRE

Oui… Ah ! Chus content de te voir, François. Hum. J'avais hâte. Tu peux pas savoir.

FRANÇOIS

T'as changé de nom ?

PIERRE

Oui. Moisan. Pierre Moisan. C'est beau, Moisan, non ?

FRANÇOIS

Je m'excuse, mais je peux-tu aller aux toilettes ?

MARIE

Mais oui, voyons.

PIERRE

T'es ici chez vous, François.

MARIE

C'est là, au fond.

FRANÇOIS

Merci.

Il se dirige vers la coulisse, s'arrête, ne bouge pas.

PIERRE

Si tu veux prendre une douche, gêne-toi pas. On a un bain tourbillon aussi...

FRANÇOIS

Non non. Juste pisser.

PIERRE

Je peux te prêter du linge, han. Y'a ben quèque chose à moi qui va te faire.

FRANÇOIS

Non non. Ça va être correct.

MARIE

Pierre, franchement.

PIERRE

Quoi!

MARIE

Est-ce qu'y a quelque chose qui va pas, François?

FRANÇOIS

La porte.

PIERRE

Quoi, la porte? Est pas barrée. Y'a personne. Tu peux y aller.

FRANÇOIS

Ah... Ça fait quinze ans que j'ai pas ouvert moi-même une porte pour aller pisser.

PIERRE

Ah oui... Ben c'est fini, ce temps-là, François, c'est fini, ce temps-là. Tu vas voir que des pognées de portes pour aller pisser, c'est pas ça qui manque.

MARIE

Non.

François sort.

MARIE

T'es tendu, han?

PIERRE

Nonon.

MARIE

Si tu mettais de la musique?

PIERRE

Y'est quelle heure, là?

MARIE

Et demie.

PIERRE

Faudrait se dépêcher à manger, faut que je sois à clinique pour huit heures.

MARIE

Pierre, tu m'avais dit...

PIERRE

Je sais, mais qu'est-ce que tu veux que je te dise?

MARIE

Tu peux quand même pas nous laisser...

François entre.

PIERRE

Ouin, c'est ça, François, je disais justement à Élaine qu'y faudrait se dépêcher de passer à table, je suis de garde ce soir à partir de huit heures. J'ai tout fait pour me faire remplacer quand t'as appelé, mais, c'est comme je t'ai dit, on n'a pas d'heures, c'est incroyable, comme on n'a pas d'heures...

MARIE

On a quand même le temps de prendre un verre avant de manger.

PIERRE

Oui oui, oui oui. Y'a pas de problème, y'a pas de problème. *(Il achève son verre.)* On t'a préparé une de ces bouffes, tu vas voir, chus sûr que ça fait longtemps que t'as pas bien mangé comme ça.

FRANÇOIS

Oui...

MARIE

Franchement, Pierre...

PIERRE

Excuse-moi, François, je voulais pas...

FRANÇOIS

Non non.

MARIE

C'est Pierre qui a tout préparé.

FRANÇOIS

Ah oui?

PIERRE

C'est mon nouveau dada. Ma folie s'est jetée là-dessus depuis qu'on s'est installés ici, pis maintenant, c'est moi qui prépare à peu près tous les repas.

MARIE

Ah! T'exagères.

PIERRE

Quand on mange ici.

MARIE

On mange jamais ici.

PIERRE

C'est ça, dis donc que je fais jamais à manger.

MARIE

J'ai pas dit ça, voyons.

PIERRE

En tout cas.

MARIE

Disons que ce soir, Pierre a tenu à ce que ça soit lui qui prépare le souper.

PIERRE

C'est normal.

MARIE

Je dis pas le contraire.

PIERRE

Bon. Bougez pas, je reviens.

Il sort. Un temps.

MARIE

Ça fait un bout de temps, han?

FRANÇOIS

Quinze ans.

MARIE

Oui, quinze ans... C'est long. *(Un temps).* Chus contente que tu sois là. *(Un temps.)* Tu sais, François, je t'ai pas oublié, han. Si je t'ai pas écrit, à chaque jour, j'ai pensé à toi. À chaque jour... Mais, je pouvais pas t'écrire. Tu comprends?

FRANÇOIS

Non.

MARIE

Je t'expliquerai. Mais parle-moi de toi...

FRANÇOIS

Que c'est que tu veux savoir?

MARIE

Tout.

François esquisse un sourire.

FRANÇOIS

Y'a rien à dire.

MARIE

Dis pas ça, voyons… *(Un temps.)* As-tu des projets?

FRANÇOIS

Pas vraiment, non.

MARIE

Va falloir.

FRANÇOIS

Je verrai.

MARIE

T'es amer, han?

FRANÇOIS

Non.

MARIE

Tu m'en veux?

Un temps. Il la regarde.

FRANÇOIS

Non.

MARIE

T'es fin.

Pierre rentre, un plateau de hors-d'œuvre en main.

PIERRE

(Chantant.) «On doit trafiquer quelque chose
En attendant le jour qui vient[1]»

Il lui offre le plateau.

---

1. Extrait de *Blues* de Aragon, chanté par Léo Ferré.

PIERRE
Goûtez-moi, ça.

FRANÇOIS
Non merci.

PIERRE
Mange, mange.

FRANÇOIS
Merci, j'ai pas faim.

PIERRE
Fais juste goûter. Tiens, prends ça, je reviens.

MARIE
Donne.

Il sort.

Si tu mettais de la musique, Pierre?

PIERRE
Bonne idée, oui. Bonne idée.

Un temps.

MARIE
C'est vrai, François, ce que je te dis. À chaque jour, j'ai pensé à toi.

FRANÇOIS
Moissi.

MARIE
Mais y fallait continuer à vivre. *(Un temps.)* Tu sais, Pavese dit qu'y a pire que de pas avoir réalisé ses rêves... Et... c'est de les avoir réalisés.

FRANÇOIS

Ah oui...

MARIE

Oui...

Un temps.

FRANÇOIS

Qui a dit ça?

MARIE

Pavese. Un écrivain italien. Y'a fini par se suicider.

FRANÇOIS

Ah oui...

Un temps.

MARIE

Toi, as-tu... est-ce que t'as... je veux dire... t'as pas...

FRANÇOIS

Oui. J'y ai pensé. C'est sûr. Au début, ça allait. Je veux dire, j'avais une raison d'être là. Je me disais que c'était normal que je paye pour. Ça aide. Ça allait. J'avais une raison.

MARIE

Oui...

FRANÇOIS

Mais tu passes pas la moitié de ta vie en prison sans finir par te demander pourquoi t'es là dans le fond, han?

MARIE

J'imagine. Pis?

FRANÇOIS

Je me le demande encore.

MARIE

Oui... *(Un temps.)* Y'a un proverbe yiddish qui dit que pour passer au travers de l'existence, on a le choix entre le sourire et l'écœurement. Moi, j'ai, disons que... pour faire une histoire courte, disons que j'ai essayé le sourire...

FRANÇOIS

Pis?

MARIE

Ça va.

FRANÇOIS

Moi, ça doit être l'écœurement qui m'a choisi.

MARIE

Je comprends, oui.

FRANÇOIS

Mais chus encore en vie.

MARIE

T'as l'air, oui. *(Un temps.)* Pierre, mets donc de la musique un peu, veux-tu?

Pierre entre.

PIERRE

Scuse-moi. Ah oui, François, je voulais te dire... Encore une goutte avant de manger? Ben voyons, t'as rien bu. Bois, bois.

Il le sert.

Élaine?

MARIE

Une larme.

PIERRE

Oui, c'est ça, je voulais te dire, François, on a pensé, Élaine et moi, je veux dire, on se disait bien qu'en sortant, t'aurais besoin d'un coup de main...

FRANÇOIS

Ah mais...

MARIE

Ah nonon, François! Inquiète-toi pas, on est là. Après tout, on te doit bien ça.

Pierre tend une enveloppe à François.

PIERRE

Tiens, François. C'est pour toi.

FRANÇOIS

C'est quoi, ça?

PIERRE

Ouvre, ouvre.

François ouvre l'enveloppe.

PIERRE

C'est pas une fortune, mais si tu fais attention, t'en as pour six mois au moins.

MARIE

Voyons, plus que ça.

PIERRE

Ça dépend à quel train de vie.

MARIE

En tout cas, ça peut t'aider, pour commencer. Va falloir que tu penses à te refaire une vie maintenant.

PIERRE

Tu vas voir, je te l'ai dit, c'est pus ce que c'était avant... C'est pus ce que c'était, han. Oh non. Je viens de m'acheter un char, le mois passé, tu devineras pas le prix que je l'ai payé. Envoye, dis un prix.

FRANÇOIS

Quarante mille?

PIERRE

Trente-huit. C'est écœurant, non? Trente-huit mille piasses! Trente-huit mille piasses, pis dans cinq ans, ça va être à recommencer, c'est-tu pas écœurant? C'est effrayant comme tout est cher astheure. Tu vas voir, c'est effrayant.

FRANÇOIS

J'imagine.

MARIE

C'est faramineux.

PIERRE

T'as pas mis le pied dehors que déjà tu viens de dépenser vingt, trente, cinquante, quatre-vingts, cent piasses. Pis je te parle pas du loyer.

MARIE

Ici, on paye cher, c'est incroyable.

FRANÇOIS

Ah oui?

PIERRE

Pis je te parle pas de l'impôt.

MARIE

Ah l'impôt!

PIERRE

C'est effrayant, je te dis. Pis, si c'était rien que de nous autres, encore, c'est pas si pire. Je veux dire, on est habitué, han. On vient quand même d'un milieu où on connaît ce que les choses valent. Je veux dire, la misère, on a quand même connu ça, la misère. Mais Marie-Pierre, elle, elle a pas connu ça, elle. Elle a pas seize ans, pis a dépense plus que nous deux mis ensemble.

MARIE

T'exagères.

PIERRE

À peine. Eille! Rien qu'en linge. T'as a pas le quart de ce qu'elle a dans sa garde-robe, Élaine!

FRANÇOIS

Marie-Pierre?

PIERRE

Va falloir que tu y parles d'ailleurs. Je viens de recevoir un compte à matin, je vas te dire, va falloir qu'elle apprenne à se serrer la ceinture, elle aussi. D'autant plus que si y faut faire vivre François quèque temps...

MARIE

Pierre, je t'en prie.

PIERRE

Non mais c'est vrai! Ah, pis t'as raison, on parle pas de ça, ça m'enrage. Encore une goutte, François?

FRANÇOIS

Non merci.

PIERRE

Donne-moi ton verre, donne-moi ton verre. Écoute... Faut ben fêter ça un peu...

MARIE

Mais oui...

> *Pierre emplit le verre de François à ras bord, puis verse un coup*
> *à Marie.*

PIERRE

On finit ça, pis on mange, O.K.?

MARIE

Oui, moi je meurs de faim.

> *Pierre boit son verre d'un coup sec.*

PIERRE

Attendez-moi, je reviens. Vous allez voir ce que vous allez voir...

MARIE

Y'est nerveux. *(Un temps.)* Moi aussi.

FRANÇOIS

C'est qui ça, Marie-Pierre?

MARIE

Ah, c'est... Pierre t'a pas dit?

FRANÇOIS

Non.

MARIE

C'est notre fille.

FRANÇOIS

Ah oui?

MARIE

Oui. *(Un temps.)* Elle a eu quinze ans le printemps dernier.

FRANÇOIS

Quinze ans?

MARIE

Oui. Est née le premier mai. On l'a appelé Marie. Marie-Pierre. *(Un temps.)* Je sais pas quoi te dire, François.

FRANÇOIS

Parle pas.

MARIE

Facile à dire. *(Un temps.)* Non, je... Chus heureuse pis en même temps je... je sais pas si chus vraiment heureuse... C'est pas clair. *(Elle rit.)* En tout cas, t'es fin d'être venu. Moi, je sais pas si j'aurais trouvé ce courage-là. *(Un temps.)* J'avais peur que tu me reconnaisses pas...

FRANÇOIS

Chus pas sûr que je te reconnais non plus.

MARIE

J'ai changé tant que ça?

FRANÇOIS

C'est peut-être juste une impression.

MARIE

Oui... Non, c'est normal que tu sois amer... C'est sûr. Mais ça fait rien, je... je m'y étais préparée... Je m'y attendais. C'est normal.

Troisième scène

Pierre entre avec un plateau d'argent sous une cloche qu'il dépose au centre de la table.

PIERRE

Attention! Vous allez voir ce que vous allez voir, mes enfants, ça va être du gâteau. Venez-vous asseoir. François, tu vas t'asseoir ici, entre nous deux.

Ils s'asseoient.

Attention!

Il soulève la cloche.

PIERRE

Gigot de mouton à la champenoise.

Pierre servira le gigot.

PIERRE

Mais je remplace le champagne par de l'armagnac. C'est moins sucré. Élaine, sers donc le vin, veux-tu?

MARIE

Oui.

PIERRE

Oui. C'est un vieux berger qu'on a rencontré dans le Nord qui nous le vend. Tu devrais voir le bonhomme. Tu sais, le genre de gars que t'as l'impression qu'y sort directement du Moyen Âge. Pas fin fin, mais dans le mouton, c'est le meilleur. Ah! Pis tu devrais le voir comment y s'y prend quand c'est le temps de les égorger.

MARIE

Pierre!

PIERRE

Quoi! En tout cas, pour être du mouton, c'est du mouton. Pas d'hormones, pas de cochonneries, rien que du mouton. Y nous l'arrange tout en paquets enveloppés séparement dans des sacs de plastique. C'est formidable. Le soir, tu rentres, que'ques minutes dans le micro-ondes, pis reste pus rien qu'à servir. C'est génial. Ah oui, le micro-ondes, c'est une sorte de four électronique qui cuit plus rapidement.

FRANÇOIS

Penses-tu?

PIERRE

J'ai justement vu un reportage là-dessus la semaine passée à la télévision américaine. Eille! Faut que je vous conte ça. Savez-vous comment est né le four à micro-ondes? Pendant la Deuxième Guerre, y'a des scientifiques anglais qui travaillaient sur des radars. Pis par hasard, dans le laboratoire où y travaillaient, y avait un grain de maïs qui se trouvait là, comme ça, pis un moment donné, c'est pas ça, ça se met à péter, POW! Pis le grain de maïs se change en pop-corn! C'est-tu pas génial!

MARIE

En tout cas, c'est ben commode.

PIERRE

Ah ça! Avec les vies qu'on fait, c'est pas mêlant, nous autres, c'est ça, ou ben ça serait le restaurant matin, midi, soir. Je te l'ai dit, on n'a pus d'heures, c'est effroyable, toute va plus vite, astheure, mais on s'adapte. Tu vas t'adapter, tu vas voir, on finit toutes par s'adapter. Tiens, goûte-moi ça.

FRANÇOIS

Non merci.

PIERRE

Je t'ai mis un peu de cervelle, mais si t'en veux pas, gêne-toi pas, moi j'adore ça.

FRANÇOIS

Non merci.

PIERRE

Goûte avant de dire non.

FRANÇOIS

Non, vraiment, vraiment, j'ai pas faim.

PIERRE

Mais voyons, t'as pas faim, je t'avais dit qu'on t'attendait pour souper.

FRANÇOIS

Oui mais...

MARIE

Pierre, insiste pas, veux-tu?

PIERRE

Prends-en rien qu'un peu pour goûter. Je te dis, t'en reviendras pas.

MARIE

Si y'a pas faim, y'a pas faim.

PIERRE

Bon. Passe-moi ton assiette, Élaine. Un peu de cervelle?

MARIE

Non, je te la laisse.

PIERRE

Bon!

MARIE

Tu le sais, j'aime pas ça.

PIERRE

Tu sais pas ce que tu manques.

MARIE

Peut-être.

PIERRE

Tiens.

MARIE

Merci.

PIERRE

Bon ben, vous êtes sûrs que vous en voulez pas, là, han?

FRANÇOIS

Non non.

PIERRE

Bon ben, à moi la cervelle!

MARIE

Pierre, je t'en prie.

PIERRE

Y'a rien de dégoûtant là-dedans.

MARIE

Je t'en prie.

PIERRE

Bon bon bon. O.K. Bon appétit.

MARIE

Santé.

PIERRE

Santé.

FRANÇOIS

Oui.

Ils boivent, ils mangent, sauf François.

PIERRE

(Savourant.) Hum! Han? Han?

MARIE

C'est bon, oui.

PIERRE

Succulent. *(Un temps.)* Dis-moi donc, François... As-tu... as-tu une place pour coucher à soir?

FRANÇOIS

Oui oui.

MARIE

Où ça?

PIERRE

Pas Hubert, toujours?

FRANÇOIS

Non, quelqu'un que j'ai connu en dedans.

PIERRE

Oh! Ça, par exemple, chus pas sûr que c'est la meilleure affaire à faire.

FRANÇOIS

C'est toi qui le dis.

PIERRE

Écoute, François... Je veux pas me mêler de ce qui me regarde pas, là, mais... t'es peut-être aussi ben d'aller à l'hôtel.

MARIE

Pierre, franchement.

PIERRE

Ah... ou on peut te garder ici. Non, c'est vrai, y'a le divan. C'est pas ce qui a de plus confortable, mais y'a toujours le divan.

MARIE

Mais oui.

FRANÇOIS

Ah nonon, c'est correct.

MARIE

Ce qu'on veut dire, François, c'est que, peut-être que t'es mieux de, d'essayer de...

PIERRE

De commencer à te réhabiliter tout de suite en commençant, tu comprends?

MARIE

Repartir du bon pied.

PIERRE

Pis regarder droit devant toi.

MARIE

Y'est pas trop tard pour que tu penses à te refaire une vie, tu sais.

PIERRE

Avoir une femme.

MARIE

Des enfants peut-être.

PIERRE

Une job stable.

MARIE

Faire des voyages.

PIERRE

Une routine. Rien qu'une routine. On dit que ça tue, la routine, han, ben j'ai vu un reportage là-dessus à télé américaine la semaine passée où on disait que la clé de l'équilibre, c'est rien d'autre que la routine, finalement, tu comprends?

FRANÇOIS

Non.

PIERRE

Je me disais ben aussi... Écoute, je comprends que ça peut être dur pour toi de... revenir dans le monde. Mais si tu te laisses aller en commençant, je veux dire, si tu te mets à vivre dans le passé au lieu d'essayer de te faire une nouvelle vie, ça peut te tuer, han, ça pardonnera pas, ça, ça peut te tuer...

FRANÇOIS

Je verrai.

PIERRE

Oui... Si tu veux, je te dis ça comme ça, là, sans arrière-pensée, mais si tu veux, je pourrai te présenter quelqu'un à ma clinique, quelqu'un qui va sûrement pouvoir t'aider à débroussailler tout ça, pis à t'aider à voir de l'avant. Je t'avancerai l'argent, même, tu me rembourseras quand tu pourras.

MARIE

Pierre!

PIERRE

Ah! Je dis ça comme ça, moi là.

MARIE

Tu verras.

PIERRE

Penses'y, par exemple, pense à ce que je te dis.

FRANÇOIS

Je me sens pas mal.

PIERRE

On dit ça. Moissi, je disais ça.

MARIE

Insiste pas, veux-tu.

PIERRE

Nonon, moi, tout ce que je dis, c'est que si y s'y prend mal pour reprendre sa place dans le monde, y va finir exactement comme Hubert, pis ça, ça me ferait ben de la peine...

MARIE

Pierre, franchement...

PIERRE

Je l'ai encore vu, la semaine passée, au coin d'une rue, avec sa cloche dins mains, maudit qu'y m'enrage... Y'a rien compris, lui. Que c'est que tu veux, quand tu l'as pas, tu l'as pas, han. Ben, c'en est un, ça, qui l'a pas. Y l'aura jamais. C'en est un autre, ça, qui est resté accroché au Moyen Âge! Les sandales dins pieds pis une petite guénille su' le dos quand y fait dix en bas de zéro, les yeux sortis de la tête, avec son petit sourire d'innocent, c'est pas mêlant, y me vire à l'envers, quand je le vois. On dirait qu'y se complaît à vivre le nez collé après a chnoutte. C'est un gars brillant pourtant. Ça aurait pu réussir, ça, tiens, de même, les deux doigts dans le nez. Mais non. Ben y va mourir dedans, sa maudite soupe populaire, tabarnaque...

MARIE

Pierre, je t'en prie.

PIERRE

Ah! Pis j'aime autant pas y penser... Nonon, pis c'est vrai, je devrais pas parler comme ça.

MARIE

C'est correct ce qu'y fait, dans le fond...

PIERRE

Ah! Je le sais, je le sais... C'est pas ça... C'est juste que... Un gars qui a l'esprit de sacrifice, c'est un gars qui a l'esprit de sacrifice, han? En tout cas. J'aime autant pas y penser.

MARIE

Pierre l'appelle le père Térésa.

FRANÇOIS

Y m'a dit ça, oui.

PIERRE

Je t'ai dit ça, quand?

FRANÇOIS

Non. Hubert...

PIERRE

Hubert, tu y'as parlé?

FRANÇOIS

Oui. Y venait me voir en-dedans.

MARIE

Ah oui?

FRANÇOIS

À toués semaines, oui.

PIERRE

Ah oui... *(Un temps.)* Mange donc un peu, François, pour me faire plaisir.

FRANÇOIS

J'ai pas envie de te faire plaisir, Pierre.

PIERRE

Oui. Je comprends, oui. Je comprends.

Un temps.

MARIE

Un peu de vin, François?

FRANÇOIS

Non merci.

Un temps.

MARIE

Tu sais, François, ça a pas été facile non plus, pour nous deux, han.

PIERRE

Ce qu'Élaine veut dire, c'est que... faudrait pas que tu t'imagines qu'on n'a pas souffert, han?

FRANÇOIS

Je m'imagine rien.

PIERRE

Ah non? Ah... Excuse-moi.

Un temps.

MARIE

Tu sais, on s'est sentis coupables, nous autres aussi.

PIERRE

Pendant longtemps, on s'est imaginé que tu nous en voulais. On se disait : « Peut-être qu'y regrette de pas nous avoir dénoncés. »

MARIE

« Peut-être qu'y regrette de toute avoir pris sur lui. »

PIERRE

On avait beau se dire que dans le fond t'avais rien à nous reprocher, je veux dire, c'est quand même pas nous autres qui... Je veux dire, c'est normal que ça ait été toi qui payes pour, mais ça empêche pas le cauchemar qu'on a vécu... On se disait : « Y doit s'imaginer que c'est facile, pour nous autres, qu'on est heureux, qu'on fait la grosse vie. » Tu sais ce que je veux dire ?

MARIE

Ah ! On te dit pas qu'on n'a pas fini par s'en sortir.

PIERRE

Tu vois où ce qu'on est rendu, aujourd'hui. Depuis quèque temps, on n'a pas à se plaindre.

MARIE

On a chacun un métier qu'on aime.

PIERRE

Une fille qui nous aime.

MARIE

On te dit pas qu'aujourd'hui ça va pas mieux.

PIERRE

Mais ça, c'est parce qu'on a fini par se faire une raison. On s'est relevé les manches, pis on s'est bâti une place.

MARIE

On n'était pas pour s'empêcher de vivre, tu comprends?

PIERRE

Mais on a vécu chaque jour de notre vie avec la peur que tu finisses par nous dénoncer.

MARIE

En fait, pour être francs, jusqu'à temps que tu sortes, on a eu peur.

PIERRE

Y'a même des bouts de temps où on n'en dormait pus. Tu peux pas savoir ce qu'on a enduré. Un stress, mon vieux, un stress incroyable!

FRANÇOIS

J'imagine.

PIERRE

Non, dis pas ça, tu peux pas t'imaginer.

MARIE

Pierre...

PIERRE

Quoi! Y'a fallu qu'on continue à vivre, nous autres! Attention! Y'a fallu qu'on réapprenne à vivre. Tu vas voir ce que c'est. Mais inquiète-toi pas, tu seras pas tout seul, toi.

MARIE

On est là, François.

PIERRE

Pis si y'a quèque chose qu'on peut faire, on va le faire.

MARIE

Inquiète-toi pas.

Un temps.

PIERRE

Ah! Que c'était bon. Han?

MARIE

Oui, très bon.

Pierre s'allume une cigarette.

PIERRE

Fumes-tu?

FRANÇOIS

Non.

PIERRE

Non, François, sérieusement, chus content de te voir. Chus soulagé. Pour t'avouer franchement, je pensais pas que ça se passerait aussi facilement. Han, Élaine?

MARIE

On s'imaginait le pire.

PIERRE

Je me disais: «Y va vouloir me tuer, y en est ben capable.»

MARIE

J'en crois pas encore mes yeux que tu sois là.

PIERRE

Tu vas voir, on va s'occuper de toi. On passe au dessert?

FRANÇOIS

Non merci.

PIERRE

Élaine?

MARIE

Pas tout de suite.

PIERRE

Un digestif, quelqu'un ?

FRANÇOIS

Non merci.

PIERRE

Moi non plus.

MARIE

Ça y donne des palpitations.

PIERRE

Laisse donc faire ça, Élaine, veux-tu ? *(Un temps. Soulagé.)* Ah !

Quatrième scène

Marie-Pierre entre, vivement, tête basse.

MARIE-PIERRE
Maudit ascenseur de cul, si ça continue de même, un beau matin m'as sortir toute mon stock d'icitte pis je remonterai pus jamais dans c'te maudit ascenceur de cul-là.

Elle sort.

MARIE
C'est elle.

PIERRE
Bonsoir, Marie! *(Un temps.)* J'ai dit: «Bonsoir, Marie!»

MARIE
Laisse-la tranquille, Pierre.

PIERRE
J'ai dit: «Bonsoir, Marie-Pierre!»

MARIE
Pierre.

MARIE-PIERRE

(*Voix off.*) Ah fuck! Combien de fois je vous ai dit de pas rentrer dans ma chambre, maudite marde! Tout est à l'envers, là!

PIERRE

Marie, on a quelqu'un à te présenter.

MARIE-PIERRE

J'ai pas le temps, j'ai des textes à apprendre pour demain.

PIERRE

C'est ton oncle François qui est venu te voir.

Marie-Pierre entre.

MARIE-PIERRE

Salut.

FRANÇOIS

Salut.

Un temps.

MARIE

As-tu soupé? Y'a du gigot.

MARIE-PIERRE

J'ai pas faim.

MARIE

Viens t'asseoir.

Elle ne bouge pas.

MARIE-PIERRE

Pis? Comment tu trouves ça, sortir de prison? Ça doit te faire drôle, han?

PIERRE

Marie-Pierre, s'il te plaît!

MARIE-PIERRE

Quoi? Ça te donne pas le goût de retourner d'où tu viens?

PIERRE

Marie-Pierre!

FRANÇOIS

Non.

MARIE-PIERRE

Je te niaise. Chus contente de te voir. *(Elle l'embrasse.)* Ça fait pas longtemps qu'y m'ont dit que t'existais, mais...

MARIE

Marie-Pierre, je t'en prie.

MARIE-PIERRE

Mais chus contente de voir qu'y a pas rien qu'un mouton noir dans famille. C'est drôle, par exemple, je t'imaginais pas de même.

FRANÇOIS

Ah non?

MARIE-PIERRE

Je sais pas. Je te voyais les cheveux plus longs. Avec une barbe. L'air plus dur.

FRANÇOIS

Ah! Plus euh...

Il mime une grimace toute en gros bras.

MARIE-PIERRE

Ouin. Faut dire que sur les photos qu'on a de toi dins livres, y t'ont pas manqué, han?

FRANÇOIS

Non.

MARIE-PIERRE

Pis c'est drôle, je m'imaginais que t'aurais les bras pleins de tatouages, je sais pas pourquoi.

FRANÇOIS

J'en ai.

MARIE-PIERRE

Ah oui? Montre donc...

PIERRE

Marie-Pierre...

MARIE-PIERRE

Scusez... *(Un temps.)* Vous devez en avoir à vous dire. Papa m'a dit qu'y en aurait ben long à t'expliquer, lui.

FRANÇOIS

Je sais, oui.

MARIE-PIERRE

Je peux-tu avoir du vin?

PIERRE

Va te chercher une coupe dans cuisine.

Elle sort.

PIERRE

Excuse-la, han. Je t'expliquerai.

Un temps.

MARIE

Un peu de vin, François?

FRANÇOIS

S'il vous plaît, oui.

Marie-Pierre entre.

MARIE-PIERRE

J'aime autant prendre un scotch finalement, si ça vous fait rien.

PIERRE

Voyons donc...

MARIE-PIERRE

Quoi? Regarde-moi pas de même.

Un temps.

Maman m'a dit qu'elle avait été en amour avec toi dans le temps. C'est-tu vrai ça?

MARIE

Ben oui, c'est vrai.

FRANÇOIS

Oui.

MARIE-PIERRE

Ça, ça veut dire que t'aurais pu être mon père à place de c'te twit-là!

PIERRE

Marie-Pierre...

MARIE-PIERRE

Scuse-moi, je te niaise, tu le sais ben. Je l'aime, mon père, c'est pas ça. C'est juste qu'on n'a pas exactement la même façon de voir le monde ces temps-ci. Le monde, ou l'avenir. Surtout le mien. Papa voudrait que je fasse mes sciences pures, pis moi je veux faire du théâtre. En fait, j'en fais déjà, du théâtre. Pis je vas continuer à n'en faire toute ma vie. J'attends juste d'avoir dix-huit ans pour pouvoir légalement m'organiser toute seule.

PIERRE

Marie-Pierre, s'il vous plaît, c'est ni l'heure ni le moment, veux-tu?

MARIE-PIERRE

Regarde-moi pas comme si j'étais de la marde, O.K.!

MARIE

Marie-Pierre, je te défends de parler comme ça à ton père, m'entends-tu?

PIERRE

C'est correct, Marie, laisse faire ça, ça va aller.

MARIE-PIERRE

Ah! Faites pas c'te face-là. Si je casse votre party, dites-moi-le, han...

FRANÇOIS

Nonon, tu casses rien.

Un temps.

MARIE-PIERRE

Pis? Comment c'est la vie de prison?

PIERRE

Marie-Pierre, peut-être que François a pas envie d'en parler...

MARIE-PIERRE

Si y'a pas envie, j'imagine qu'y se gênera pas pour me le dire. Un homme qui tue un ministre, j'imagine que c'est pas un homme qui a la langue dans sa poche.

FRANÇOIS

C'est long.

MARIE-PIERRE

Tu vois.

PIERRE

Ah! Y paraît, han?

FRANÇOIS

À toués jours pareil. Trois cent soixante-cinq jours et quart par année. Cinq mille quatre cent soixante-et-quinze fois.

PIERRE

Ah! Y paraît que c'est effrayant, han?

MARIE-PIERRE

Mais qu'est-ce que t'as faite de ton temps pendant tout ce temps-là?

FRANÇOIS

Rien.

MARIE-PIERRE

Rien?

FRANÇOIS

Non, rien. Le matin, je passais la moppe dins corridors.

PIERRE

C'est-tu pas écœurant!

FRANÇOIS

L'après-midi je dormais ou je lisais un peu...

PIERRE

Ah oui, c'est sûr, mais y paraîtrait que c'est pas ça le pire, han...

MARIE-PIERRE

Pis le soir?

FRANÇOIS

Le soir, rien.

MARIE-PIERRE

Pas de tévé?

FRANÇOIS

Non.

MARIE-PIERRE

C'est écœurant...

PIERRE

Ah oui, mais y'a pire que ça.

FRANÇOIS

Ça se vit.

PIERRE

Ben oui, ça se vit!

FRANÇOIS

Ça te fait ben du temps pour te souvenir. C'est ça qui est le pire.

MARIE-PIERRE

De te souvenir?

FRANÇOIS

Oui...

PIERRE

Ah, mais y'a ben pire que ça! Eille! J'ai justement vu un reportage là-dessus à la télé américaine la semaine passée.

MARIE

Sur la prison?

PIERRE

Non, sur la torture! Un documentaire fascinant sur les spécialistes de la torture dans certaines prisons d'Amérique latine où on apprenait que le geste de torturer procurerait au bourreau une jouissance comparable à l'orgasme, c'est-tu pas écœurant?

FRANÇOIS

Pierre?

PIERRE

Quoi?

FRANÇOIS

Farme ta gueule.

PIERRE

Oui... *(Il se lève de table.)* Élaine? Viens m'aider, veux-tu?

> *Il sort.*

PIERRE

(Voix off.) Élaine.

MARIE-PIERRE

Allô, t'es-tu sourde?

MARIE

Je reviens.

> *Elle sort.*

Cinquième scène

Marie-Pierre s'assoit.
Un temps long.

FRANÇOIS

Tu fais du théâtre?

MARIE-PIERRE

Oui. *(Un temps.)* Ça doit pas être ton genre, le théâtre, toi, han?

FRANÇOIS

Je sais pas, j'ai jamais été.

MARIE-PIERRE

Ah ben tu viendras, si tu veux! Je... on fait une pièce à l'école pour le temps des fêtes. On l'a écrit ensemble, là, pis toute, mais ça va être bon pareil, c'est plein de musique. Ça s'appelle: *Toute m'écœure*. C'est ben heavy. Y'a quèque chose comme quatre-vingt-quatre morts en une heure et quart. Pis on va vendre de la bière à l'entracte. Les sœurs vont vouloir nous tuer, mais y'en a une qui est de notre bord.

FRANÇOIS

« Toute m'écœure » ?

MARIE-PIERRE

Ouin, t'aimes-tu ça? C'est moi qui l'a trouvé.

FRANÇOIS

Ah oui...

MARIE-PIERRE

Oui.

Un temps.

FRANÇOIS

Que c'est qui t'écœure?

MARIE-PIERRE

Ah... euh... Je sais pas... Toute... C'est un feeling, t'sais. *Toute m'écœure*, ça dit ce que ç'a à dire, non?

FRANÇOIS

Oui...

MARIE-PIERRE

Si je commence à rentrer dins détails, t'as pas fini, mon gars. *(Un temps.)* Mais... À mon âge, j'imagine que toissi toute t'écœurait, non?

FRANÇOIS

Toute non, mais...

MARIE-PIERRE

C'est quoi qui t'écœurait?

FRANÇOIS

Les mêmes affaires que toi, j'imagine.

MARIE-PIERRE

Comme quoi?

FRANÇOIS

Je sais pas.

MARIE-PIERRE

Nonon, ça m'intéresse. Ça pourrait me donner des idées. On n'a pas fini d'écrire le texte encore. En fait, on a surtout travaillé la musique. Mais... c'est quoi qui t'écœurait?

FRANÇOIS

Ben... Le semblant de maison où ce que je vivais. Le semblant d'école où ce qu'on me disait qu'on allait m'apprendre à vivre. Pis toute le reste autour, t'sais...

MARIE-PIERRE

Ouin...

FRANÇOIS

Hum...

Un temps.

MARIE-PIERRE

Mais, moi, en tout cas, ça achève.

FRANÇOIS

Ah oui?

MARIE-PIERRE

Oui. Je m'en vas dans l'Ouest l'été prochain.

FRANÇOIS

Ah oui?

MARIE-PIERRE

Oui. On va planter des arbres.

FRANÇOIS

Ah oui...

MARIE-PIERRE

Oui. On va être toute une gang de gars pis de filles... On s'est mis ensemble pour monter le projet. Le 24 juin, on part. J'ai assez hâte, tu peux pas savoir...

FRANÇOIS

Planter des arbres ?

MARIE-PIERRE

Oui. C'est ben hot là-bas. On fait partie d'un groupe pour la sauvegarde de la forêt. C'est ben ben hot là-bas.

FRANÇOIS

Eh ben...

Un temps.

MARIE-PIERRE

Mais... euh... Tu vas-tu venir ?

FRANÇOIS

Dans l'Ouest ?

MARIE-PIERRE

Non. Je veux dire, me voir jouer.

FRANÇOIS

Ah, je... Je sais pas.

MARIE-PIERRE

J'aimerais ça.

FRANÇOIS

Chus pas sûr que ton père pis ta mère seraient ben contents de me voir là.

MARIE-PIERRE

Laisse-les faire, eux autres. Y viendront même pas. Papa dit qu'y a pas le temps, pis maman, elle, a sort pas, elle haït ça.

Elle se lève, va s'asseoir sur la table, face au public.

Tantôt, tu disais que le pire, c'était de te souvenir. C'est à eux autres que tu pensais, han?

FRANÇOIS

Oui.

MARIE-PIERRE

À quoi tu pensais au juste?

FRANÇOIS

Ben...

Il se lève et va la rejoindre devant la table.

Tu sais, tes parents pis moi, on a déjà été ben proches, han... On a vécu des affaires qui s'oublient pas. Pis, ben, disons que j'avais ben du temps pour y penser. En fait, j'avais quasiment juste ça à faire, penser à eux autres.

MARIE-PIERRE

Mais pourquoi tu voulais pas qu'y aillent te voir si tu pensais tout le temps à eux autres?

FRANÇOIS

Quoi?

MARIE-PIERRE

Papa m'a dit que tu leur avais demandé de pas aller te voir en prison.

FRANÇOIS

Ah oui...

MARIE-PIERRE

Pourquoi? T'étais en maudit après eux autres?

FRANÇOIS

Nonon.

MARIE-PIERRE

Tu dois être déçu de voir ce qu'y sont devenus, han?

FRANÇOIS

J'ai pas l'impression qu'y a grand-chose qui peut me décevoir, m'as te dire.

MARIE-PIERRE

Pourquoi t'es venu? T'es-tu content d'être venu?

FRANÇOIS

Coudons, tu travailles-tu pour la police, toi?

MARIE-PIERRE

(Gênée.) Chus curieuse, han?

FRANÇOIS

(Souriant.) Nonon.

Il lui caresse timidement la cuisse.

MARIE-PIERRE

Vous vouliez refaire le monde, han?

FRANÇOIS

Refaire le monde, non, mais... Disons qu'on s'était enlignés pour en changer un bon morceau.

MARIE-PIERRE

Papa m'a dit que tu regrettais d'avoir sacrifié ta vie pour ça.

FRANÇOIS

J'ai pas sacrifié ma vie.

MARIE-PIERRE

Mais... tu dois regretter de l'avoir tué, c'te bonhomme-là, non?

FRANÇOIS

Non.

MARIE-PIERRE

Ah non?

Un temps.

FRANÇOIS

Tu sais, assassiner un ministre, le gonne au poing, en pensant que ça va changer la face de la terre, ou ben te croiser les deux bras à rien faire en attendant que ça passe, dans le fond, ça revient peut-être à la même chose... Mais si c'était à faire, je le referais.

MARIE-PIERRE

Ah oui?

FRANÇOIS

Je te dis pas que j'ai eu raison de faire ça. Je sais pas si j'ai eu raison. Mon problème, c'est que je sais pas non plus si j'ai eu tort. Tu comprends?

MARIE-PIERRE

Non.

FRANÇOIS

Tu sais, quand t'as passé quinze ans de ta vie en prison, tu peux pas te dire que c'est pour rien, t'sais. J'étais pas tout seul à vouloir changer des affaires. Mais, ça s'est adonné que j'ai fessé plus fort que tout le monde, pis que j'ai payé pour. Mais j'y croyais. J'étais sincère. *(Un temps.)* Ah! J'ai essayé de regretter. À toués jours, depuis quinze ans, j'ai essayé de me défaire des raisons qui peuvent ben te pousser à vouloir le changer, le monde. Des raisons que t'as d'en venir à tuer quelqu'un au nom de quèque chose. Mais, j'ai pas réussi grand-chose dans ma vie, han, pis ça non plus je l'ai pas réussi. C'est ça qui est le pire, je pense.

MARIE-PIERRE

De pas avoir réussi?

FRANÇOIS

Non. De croire. De continuer à croire. Encore. Toujours. Tout le temps. À toués jours.

Un temps. Marie-Pierre lui verse à boire.

MARIE-PIERRE

Mais... C'est beau aussi.

FRANÇOIS

Oui. C'est beau aussi. Je le sais pas trop. Chus pus sûr de grand chose, m'as te dire. *(Un temps.)* Tu sais, t'à l'heure, avant de m'en venir icitte, chus allé voir une femme qui m'écrivait des lettres en-dedans depuis que'ques années. Pis quand je l'ai vue, je... j'avais envie de l'embrasser. Tu comprends, la dernière femme que j'avais embrassée, c'était ta mère. Pis, en l'embrassant, t'à l'heure, c'te femme-là, Dorothée qu'a s'appelle, c'était de l'amour, han. Je veux dire, je voulais toute y faire sauf y faire mal, han. Ben en l'embrassant t'à l'heure, j'y ai décroché la mâchoire, à Dorothée... Pis on a passé le restant de la journée à l'hôpital... Mais je regrette pas de l'avoir embrassée, tu comprends? C'est juste que y'en a qui ont moins le tour que d'autres d'aller au boutte... *(Un temps.) Toute m'écœure*, han?

MARIE-PIERRE

Oui...

Un temps.

FRANÇOIS

Moissi, à ton âge, toute m'écœurait. Sauf que moi, c'était pas du théâtre que je faisais. Je savais même pas que ça existait, le théâtre. *(Un temps.)* Mais... à travers toute ce qui pouvait m'écœurer, moissi j'avais trouvé comme une façon de m'en sortir. *(Un temps.)* Tu sais, t'as pas vingt ans, pis un soir ton frère rentre à maison avec une fille qu'y a ramenée de l'université, pis tout d'un coup, tu sais pas si c'est les yeux de cette fille-là ou ben les mots que ton frère dit ou ben la bière, mais tu te mets à t'imaginer que tout d'un coup, toute ce qui t'écœure peut changer de face. Parce que t'es trois. T'en viens que t'as l'impression que si tu fais ce que t'as à faire, y'a pus rien qui va être comme avant. T'as l'impression qu'avant toi, c'est comme si y s'était rien passé, pendant des siècles, pis que tout d'un coup, à cause de toi, les montagnes vont se mettre à bouger, pis que les lendemains vont se mettre à chanter... C'est ton père qui disait ça: «Un jour, François, les lendemains vont chanter...» Fait qu'on s'est mis à jouer avec le feu...

Un temps.

Le soir on partait, ton père, ta mère pis moi, dans mon taxi, pis on allait mettre le feu partout où ce qu'on se disait qu'y fallait que ça brûle pour que le jour de notre libération arrive. On partait, avec des bidons de gaz ou bedon des petites bombes qu'on trafiquait avec un réveille-matin, pis de la dynamite qu'on avait piquée la veille dins tunnels où ce qu'y construisaient le métro, pis on allait mettre le feu. Pour allumer les consciences, qu'on disait... Ou ben faire du bruit, t'sais, pour réveiller la fierté du monde... Dans le fond, moi, c'était peut-être rien que pour m'étancher le goût de détruire, en massacrant quèque chose au lieu de massacrer quèqu'un, mais... je me posais pas c'te genre de questions-là... Jusqu'au jour où je me sus réveillé, tout nu dans une cellule de six pieds par six pieds par six pieds, pis que j'ai senti que toute ça, le bonheur, la fraternité, la liberté, l'égalité, ça avait rien qu'autre que l'odeur du sang...

Un temps.

Ah! Je pourrais t'en parler pendant des heures, toute la nuit, pis demain, pis après-demain, c'est pas l'envie de vomir ce que j'ai sur le cœur qui me manque. Mais... Chus pas venu ici pour me vider le cœur. Pis chus pas ben ben placé pour te faire la morale, han... Dans le fond, je le sais pas pourquoi chus venu ici. Peut-être rien que pour savoir c'était quoi, ça, les lendemains qui chantent. Ou pour savoir que t'existais...

Il lui caresse tendrement la joue. Puis jette un coup d'œil vers la coulisse, va reprendre l'enveloppe sur la table, revient vers Marie-Pierre.

FRANÇOIS

Tiens...

Il lui donne l'enveloppe.

MARIE-PIERRE

C'est quoi?

FRANÇOIS

Attends que je soye parti avant de l'ouvrir. Pis parle z'en pas à personne.

MARIE-PIERRE

Tu t'en vas?

FRANÇOIS

Oui.

MARIE-PIERRE

On va-tu se revoir?

FRANÇOIS

Peut-être. On verra.

MARIE-PIERRE

Mais voyons, va-t'en pas.

Il la prend dans ses bras, l'embrasse longuement sur le front.

FRANÇOIS

Nonon. Je m'en vas pas... Je m'en vas pas...

Il sort.
Doux grondements dans l'Écho du temps nouveau.
Marie-Pierre demeure, seule. Elle pose les yeux sur l'enveloppe et

se dirige lentement vers sa chambre.
Pierre et Marie entrent. Ils se regardent.
Sourds martellements.
Elle sort.
Chant nègre.

O Lord
Take me in your arms
O Lord
Take me in your heart
O Lord (take me)
O Lord

    Noir.

Deschaillons – juin 1990
Montréal – avril 1991

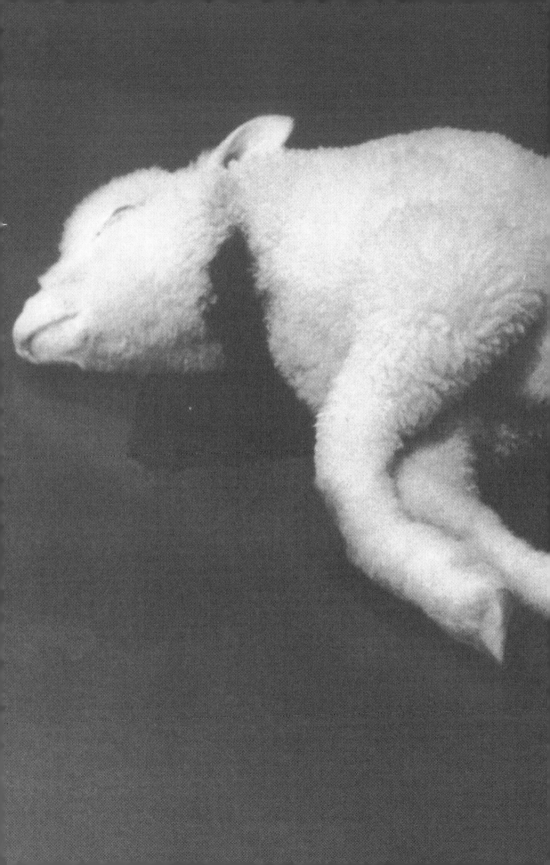

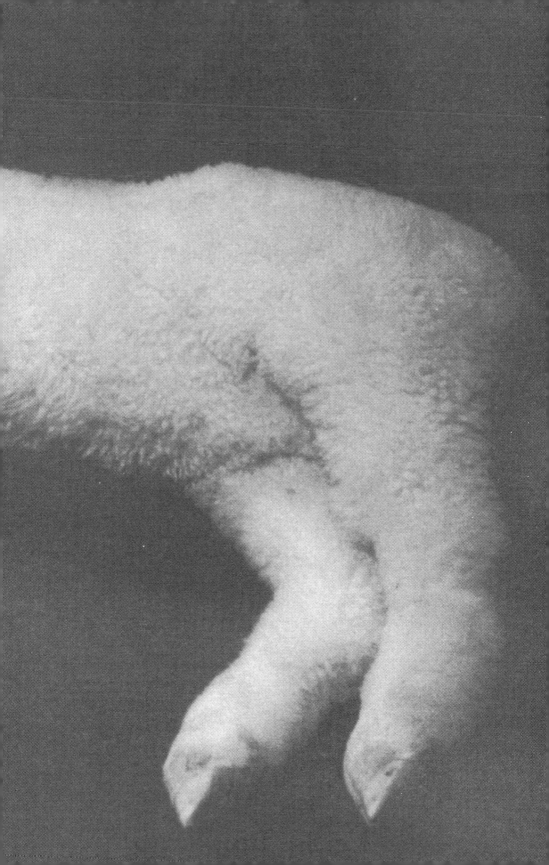